国語教育の新常識

―これだけは教えたい国語力―

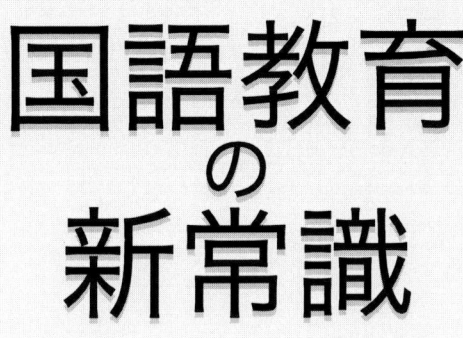

森山卓郎・達富洋二

編著

明治図書

まえがき

　「国語力」，すなわち適切な言語運用を可能とする能力は，すべての学習にとって基礎的な力です。しかし，具体的にどのような指導をすれば「国語力」をつけられるのか——これはなかなか難しい問題です。自然に習得する「母語」に関わる学習である点で，学びの道筋が見えにくいからです。

　また，国語科の学力観も大きな転換点を迎えています。学習指導要領も新しくなりました。「新学力観」がある程度定着してきており，具体的な指導のあり方が問われるようになってきていること，全国学力・学習状況調査やOECDの学力調査（PISA）などで今の日本の子どもたちの課題が新たに明らかになってきたことなどもポイントとして挙げることができます。

　このような「転換」の時代だからこそ，国語に関わるすべての先生が基礎知識として知っておくべきことを改めて明らかにしておくことが必要です。「教科書を教える」のではなく「教科書で教える」ことが重要だと叫ばれていますが，「何を，どう」教えるかを明確にしておく必要があるのです。

　そこで，本書では，日本語や文学教育の必須の知識，「話す・聞く」「書く」「読む」力の構成，教材研究の基礎論，児童の実態とそれへの配慮，授業を構想する際の重要事項などをわかりやすくコンパクトにまとめました。国語を教えられる先生方（小学校を中心に幼稚園から中学校まで）や，教員を目指す学生や院生の皆さんにぜひ知っておいて頂きたいことです。多様なコラムも揃え，「広く，深く，わかりやすく」を目指したつもりです。研修，講習，大学や大学院でのテキストとしても使って頂けます。

　本書では，第1章で「伝え合いの仕組みと国語科」として，国語科教育をとりまく全般的状況を述べます。次に，第2章「基盤的言語力」では言葉の勉強としての国語を教えるための基礎知識をまとめます。教壇に立つ場合にしっかり押さえたいことです。第3章では「読むこと」を考えます。学習指導要領では「話すこと・聞くこと」「書くこと」「読むこと」の順ですが，

「読むこと」は題材が言語表現として固定している点で様々な観点が出しやすいこと，学習としてこれまでにも焦点化されることが多かったこと，などを考慮して，領域の最初に扱っています。次に第4章では「書くこと」，第5章では「話すこと・聞くこと」をそれぞれ取り上げています。以上は森山が担当しています。それに続き，授業論として，実践的な観点から検討したのが第6章「読解（理解）の授業論」第7章「表現の授業論」第8章「授業展開と教室話法」です。以上は達富が担当しています。このように，本書は，教育の現場に学びつつ言葉の研究をしてきた森山と豊かな実践経験を活かして国語教育の研究を新たな観点から進めてきた達富のコラボレーションです。

また，つけるべき力を特化したワーク例を巻末に置き，拡大コピーをして使って頂けるようにもしました。姉妹編というべき実践的なワークとして，現場の先生方のお力を得て作った『基礎・基本から活用力まで　新国語力ワーク』低・中・高学年用（森山編・明治図書）もあります。ご利用下されば幸いです。

今回，原稿完成の段階で，文部科学省教科調査官，水戸部修治氏，同学力調査官，樺山敏郎氏，名古屋大学准教授，日比嘉高氏（文学読解の部分）に御一読頂き，有益なコメントと有難い励ましを頂きました。編集は明治図書及川誠氏にお世話になりました。また，平成20年度科研基盤研究（B）「小学校における文章記述力育成に関する基礎的研究」（課題番号21320087，代表者：森山卓郎）の研究援助も受けています。記して心より感謝致します（本書の誤りは著者に帰します）。

まだ至らぬ所も多いと思います。大方のご教示をお願い致します。また，本書が未来を背負う子どもたちの国語力向上に，少しでも役立ちますことを心より祈っております。

　　　　　　　　　　　　　　　　　　　　　　　　　森山　卓郎

目次

まえがき

第1章 伝え合いのしくみと国語科

1 「伝え合い」のしくみと国語力 …… 9
- 1-1 言葉で伝え合うとはどういうことか
- 1-2 国語の力の三つの要素
- 1-3 基盤的言語力
- 1-4 文脈的言語力
- 1-5 主体的関与
- 1-6 言語活動としての領域

2 国語科のあり方と学習指導要領 …… 13
- 2-1 近年の「学力観の転換」とは
- 2-2 PISA型読解力
- 2-3 新学力観を支える「～合う」
- 2-4 新学力観をめざす指導の「落とし穴」

 🖉 コラム　学習指導要領と社会の流れ

第2章 基盤的言語力

1 文字と表記の学習 …… 17
- 1-1 大人は字をどう読んでいる?
- 1-2 知っているようで知らない仮名遣いのポイント
- 1-3 漢字の読み
- 1-4 漢字の形
- 1-5 漢字の成り立ち：「六書」
- 1-6 漢字と語彙の学習の現在の課題

2 語彙力 …… 23
- 2-1 語彙（ボキャブラリー）の教育
- 2-2 「語の意味の違い」について考える
- 2-3 漢語・和語・外来語
- 2-4 イメージとの関連　―「レモン」と聞くと?―
- 2-5 オノマトペ
- 2-6 国語辞典の利用
- 2-7 比喩とイメージ
- 2-8 直喩と隠喩。そして，比喩的なとらえ方
- 2-9 比喩とその周辺

3 文法力 …… 29
- 3-1 なぜ「文法」?
- 3-2 接続表現
- 3-3 指示語
- 3-4 敬語の新常識―三分類と五分類

4 音声言語力 ·· 34
- 4−1 音声の特質(1)「あいうえお」ってどう発音している？
- 4−2 音声の特質(2)「あかさたな」はどう発音している？
- 4−3 間（ポーズ）
- 4−4 アクセントとイントネーション
- 4−5 速さ，大きさ

🖋 コラム　硬筆：文字を書くことと「目」と「手」には関係がある？
🖋 コラム　年少日本語学習者の教科学習

第3章 読むこと

1 「読むこと」全般に関わる文脈的言語力 ································ 41
- 1−1 表現から読み深める
- 1−2 語彙からの読み深め
- 1−3 文法からの読み深め

2 情報の取り出し・加工・関連づけ ······································ 43
- 2−1 内容面での情報の読み取り
- 2−2 パラフレーズ（言い換え）
- 2−3 図示化・描画読み・動作化読み
- 2−4 「読む」ことと文脈上の「予想」

3 物語文の文脈的理解 ·· 47
- 3−1 物語文の種類
- 3−2 時空，人物の設定
- 3−3 視点の設定
- 3−4 出来事の流れ
- 3−5 成立背景読み
- 3−6 「なぜ」

4 物語文の主体的読解 ·· 52
- 4−1 主体的な物語の読み深めとは
- 4−2 象徴読み
- 4−3 主題読み
- 4−4 「この後」読み，「もし」読み
- 4−5 音声から読み深める（音声読み）

5 説明文系の文章の文脈的理解 ·· 55
- 5−1 説明文のいろいろ
- 5−2 キーワードと要約
- 5−3 段落内部の構成—パラグラフライティング，文型，接続表現—
- 5−4 段落内部でのつなぎことば（接続詞類）の働き
- 5−5 段落構成
- 5−6 子どもの段落構成の読み取り能力
- 5−7 説明文での段落どうしの接続関係
- 5−8 情報伝達型説明文の読解の注意点（報告文，記録文，解説文）
- 5−9 意見文の読解の注意点（意見文，推薦文，鑑賞文）

6　説明系の文章における主体的関与………………………………62
　　　6－1　既にある知識の利用と「広げる読み」
　　　6－2　主体的検証の読み：「批判的読み」（クリティカル・リーディング）
　　　6－3　「書かれていないがわかること」
　　　6－4　反応としてどう返していくか
　7　その他の文種…………………………………………………………67
　　　7－1　様々なジャンル
　　　7－2　俳句を例にした表現の考察：ブランク法，順序入れ替え法
　8　主体化としての読書の広がり……………………………………68
　　　8－1　主体的読書活動
　　　8－2　スキャニング（探し読み）とスキミング（あらまし読み）
　　　📝 コラム　複数の本文

第4章　書くこと

　1　「書くこと」と主体的関与―「書く内容」について考えること………71
　　　1－1　「発想」の指導のしにくさ
　　　1－2　出発点としての「記憶」
　　　1－3　記録とメモ
　　　1－4　意見を「考える」技法―二観点法とシミュレーション法―
　2　「書くこと」に共通する文脈的言語力……………………………74
　　　2－1　「書く」ことと「書き言葉」
　　　2－2　段落意識
　　　2－3　文脈を構成する接続表現
　3　書くことと文種………………………………………………………77
　　　3－1　観察記録文
　　　3－2　意見文・説明文
　　　3－3　手紙文，お知らせ文などの実用文
　　　3－4　生活作文
　　　3－5　文学的な文章
　4　「書く」ことが終わってからの主体的関与………………………81
　　　4－1　「推敲」の語源となった故事が示唆すること
　　　4－2　子どもたちの実態
　　　4－3　不整表現の傾向と対策
　　　📝 コラム　NIE（教育における新聞活用）でこんな力がつく

第5章　「話すこと」・「聞くこと」

　1　「話すこと」・「聞くこと」と主体的関与…………………………85
　　　1－1　話すこと・聞くことの基盤にある「信頼感」
　　　1－2　安心して話し合いができる場づくり

1－3　アサーション
　　　1－4　しっかり聞けること
　2　「話すこと」の文脈的言語力 ……………………………………… 88
　　　2－1　話すタイミングの調整
　　　2－2　文型
　　　2－3　話型
　　　2－4　公的発話（パブリック・スピーキング）
　　　2－5　構成
　　　2－6　話すことのノンバーバルコミュニケーション
　3　「聞くこと」の文脈的言語力 ……………………………………… 92
　　　3－1　聞く
　　　3－2　「聞く力」として大切な「応答」
　　　3－3　メモ力
　　　3－4　確かめる，ただす
　　　3－5　聞くことのノンバーバルコミュニケーション
　4　主体的関与と「話し合い」 ………………………………………… 95
　　　4－1　「対立を楽しむ会話」や「合意形成の話し合い」
　　　4－2　ディベート
　　　4－3　その他の話し合い活動
　　　4－4　主体的な振り返り
　　　　コラム　「話し合い」を通して学びを深める授業づくり

第6章　読解（理解）の授業論

　1　「読むこと」の授業のしくみ …………………………………… 101
　　　1－1　「読むこと」の授業とはどんな授業か
　　　1－2　「読むこと」の授業過程
　2　「読むこと」の授業のしかけ …………………………………… 110
　　　2－1　基盤的な言語力を育てるしかけ
　　　2－2　文脈的な言語力を育てるしかけ
　　　2－3　主体的関与のしかけ

第7章　表現の授業論

　1　「書くこと」の授業のしくみ …………………………………… 115
　2　「書くこと」の授業のしかけ …………………………………… 116
　　　2－1　発想－主体的関与のしかけ
　　　2－2　構成－文脈的言語力のしかけ
　　　2－3　記述－文脈的言語力のしかけと基盤的言語力
　　　2－4　推敲－主体的点検としての文脈的言語力のしかけ
　　　2－5　交流－再び主体的関与へのしかけ

3　「話すこと・聞くこと」の授業のしくみ……………………………………123
　　4　「話すこと・聞くこと」の授業のしかけ……………………………………124
　　　　4－1　話し手を育てるしかけ
　　　　4－2　聞き手を育てるしかけ
　　　　4－3　教室談話を共有する学びの集団へのしかけ
　　　コラム　日本十進分類法
　　　コラム　異文化コミュニケーションと身振り
　　　コラム　方言と共通語

第8章　授業展開と教師話法

　　1　教師の話すこと………………………………………………………………127
　　　　1－1　教師の話す力
　　　　1－2　話すことによる「てびき」
　　2　教師の聞くこと………………………………………………………………130
　　3　よりよい教師話法に向けて…………………………………………………131
　　　コラム　古典
　　　コラム　毛筆書写での漢字の字形指導―始筆の角度と左払い
　　　コラム　日本語を母語としない子どもにとっての「国語」
　　　コラム　メディアリテラシー（media literacy）

附録　ワーク編……………………………………………………………………135

　　T1　なにがかいてあるか，わかるかな？
　　T2　ようすを　あらわす　ことばの　いみ
　　T3　どんな　さかな？
　　T4　くりからそうぞうしよう！
　　C1　たいせつなところは？
　　C2　どう読む？―音読について考えてみよう！
　　C3　歌の言葉のよみとりをたのしもう！
　　C4　メモを取ろう！
　　K1　歌の言葉の読み取りをたのしもう！
　　K2　物語の読み取り
　　K3　質問はありますか？
　　K4　伝統的言語文化

参考文献

資料　ヘボン式ローマ字一覧表

第 1 章 伝え合いのしくみと国語科

◀◀ この章のポイント ▶▶

　現在，知識基盤型社会への対応を含め，国語学力観の転換が叫ばれています。こうしたことを背景にして，国語力を「言葉の基盤的な能力」「文脈構成の力」「主体として関わる力」という観点から整理します。

 ## 1 「伝え合い」のしくみと国語力

1－1　言葉で伝え合うとはどういうことか

　「言葉」での「伝え合い」とは，どのようにして成り立っているのでしょうか。例えば，学校で校長先生に連絡したいことが出てきて，向こうからやってきた子どもに聞く，という場面を考えましょう。

> 教師　　：「校長先生，どこか知ってる？」
> 子ども：「はい，知っています。」（そのまま走っていく）

　これはちょっと変な会話です。コミュニケーションが成立したとは言えないのではないでしょうか。

　疑問と答えという表面的なつながりはできていますが，問いの「真意」には答えていないからです。ここでの「教師」の言葉は「知っているなら教えてほしい」といった意味だと解釈することが必要でしょう。表面的な言葉の解釈もできる必要がありますが，それだけではなく，その言葉が使われる状況に即した「真意」，つまり，「文脈での言葉の意味」を考えることが重要です。理解する人（受け手）も，言葉を単純に受け取っているだけではなく，解釈の主体者としてかかわっているのです。

さらにどう考えて答えるかということも重要です。例えば校長先生を運動場でお見かけしたとしても体育館の方へ向かって移動中だったとすれば単に「運動場です」という答えがいいとも言えません。簡潔的確に情報を伝えるという配慮も必要です。文脈を理解するだけではなく，「主体的」に考えることが重要なのです。

1-2　国語の力の三つの要素

このような観点から，国語力について考える場合，三つの要素に分けて考えると便利です。まず，基盤にあるのが，文字，語彙，文法，音声といった「言葉」の基盤となる力です。これを「基盤的言語力」と呼びましょう。

そして，それを実際に活用していくのが，文脈での応用です。これを「文脈的言語力」と呼ぶことにしましょう。一定の量のあるものを読んでいく場合など，理解においては，情報をしっかり把握して，さまざまな文脈の関わりを考えて解釈していくことが必要になります。何かを書く場合など，表現においても同様で，文脈の中に位置づけて，また，必要に応じて，さらに文脈をみずから構成していくことが必要です。

さらに，最終的には，主体として言葉や内容にどうかかわっていくかという力も重要な要素です。これを「主体的関与」と呼ぶことにします。自分なりの発想を思いついたり，予想をしたりすることも含まれますし，理解したことについて自分なりに思いを深めていくことや（熟考），それを評価していくことも重要なことです。以下もう少し詳しく述べます。

1-3　基盤的言語力

まず，言葉を扱うには，文字，語彙，文法，音声などの基本的なこと，つまり，「基盤的言語力」が必要です。読めない字，知らない語があったり，文の意味を勘違いしたりしていてはきちんとした読解はおぼつかないし，書けない字があればやはり困るのです。音声言語でも同じことが言えるでしょう。基本的にこの段階での学習には「正しい」「間違い」があります。

1－4　文脈的言語力

次に重要なことは，広い意味での場への位置づけ，すなわち，文脈（＝文章としての流れ）に応じての，文章（＝文のまとまり）全体への応用です。「文章」としての的確な理解をするためには，前後関係を含め，複数の文の情報を構成していく必要があります。この段階での理解を**「文脈的言語力」**と呼びます。

「話すこと・聞くこと」の簡単な例は最初に示しましたが，簡単なやりとりだけではなく，一定の量のある内容でも，「文脈」に応じて話したり聞いたりすることが必要です。

「書く」ことにおいても，自分の考えをもとに，一定の編集をして，報告文，意見文といった様々な文章に応じた書き方を習得する必要があります。ここでは，理由づけなどの「筋道だった考え方」が重要です。

「読む」ことにおいても，「読む対象」の特性に応じた内容理解と，理由づけなどの「筋道だった考え方」が重要です。すなわち，物語文，説明文や報告文，意見文，韻文といった様々な文章に応じた読み方を習得することが必要です。また文脈としての理解を考える場合，背景の状況など，書かれていなくても勘案すべき様々な情報の把握も必要になります。特に，読むことの場合，この段階でも，基本的に「正しい」「間違い」があります。一般的な解釈や推理，そして，表現での合理性ということが成り立つからです。

1－5　主体的関与

さらに，主体的に考え，自分の意見をもったり，評価したりしながら何かの反応を形成するという段階も重要です。ここではこれを**「主体的関与」**と呼びます。

主体がどう関わるかということは，表現と理解，すなわち，「話したり書いたりすること」と「聞いたり読んだり」することとでは少し位置づけが違います。表現では「表現する主体」として最初から内容を「作り出す」ことに関わらなければならないのに対して，理解ではその「対象」はすでにでき

あがっているからです。

　「書くこと」「話すこと」の場合，「主体的関与」は最初の段階で問題になります。何を書こうとするのか，何を話そうとするのか，ということが活動の中核になるからです。また，最終的にもう一度自分が表現したことに立ち戻る場合，最後にまた主体的関与ということも問題になります。

　「読むこと」「聞くこと」においては，個人としてその対象に対してどんな思いを持つかが重要です。すなわち，物語文を読んだり，朗読などを聞いたりする場合はどう「鑑賞」するかが問題になりますし，説明を読んだり聞いたりする場合は，その内容に対してどう自分なりに点検・評価するかが問題になります。いずれの場合も，「自分」というものを持った読み深めをすること，そして，理解した後で自分なりに考えをまとめたり話したりすること，などが，大切です。

　この「主体的関与」という段階では単純に「正しい」「間違い」ということは言えません。表現者や理解者がどう考えるかということには，一定の合理性がある範囲での自由があるからです。

１－６　言語活動としての領域

　以上，述べてきたように，国語力は，基盤としての言語運用の力と，文脈として具体的に実現される力，そして，主体として言葉にどう関わっていくかという力，という三つの要素にわけることができます（森山2007『言葉から考える読解力』（明治図書）も参照）。こうすることで，「国語には正解ということがないから学習が難しい」といった議論や「国語の学習内容にはさまざまなことがありすぎる」といった議論，そして，「国語学習の基礎基本とは何か」といった議論を整理することができます。子ども一人ひとりの力を見る場合でも，どこに重点を置けばいいのかが明らかになります。もちろん，一方で，これらは相互に深く関係しているということにも注意が必要です。主体的に熟考していくことが基盤的言語力を鍛えるということにもなりますし，文脈の理解を深めることにもなるからです。

2　国語科のあり方と学習指導要領

2-1　近年の「学力観の転換」とは

　次に国語科を取り巻く状況についても考えてみましょう。今，社会の急激な変化に伴って学力観が大きな転換を迎えています。特に，新しい知識，情報，技術などが社会のあらゆる領域で重要性を増す，「知識基盤型社会」に対応することが教育の大きな課題になっています。そこで問題となるのが，

> ①「学校だけでの学習」から「生涯学習」へつながる学習の重視へ
> ②「理解力重視」から思考力，判断力，表現力，そして創造性の重視へ
> ③「学級集団としての一斉の学び」から「個として学ぶ主体」の重視へ

という学力観の転換です。豊かな社会参加をしていくためには，学校教育終了時の，「学校教育の結果としての学力」ではなく，「生涯学び続けられる学力」が必要です。「活用」「探究」といったことが重要視されるのもこのためですし，「学ぶ主体」に焦点が当てられるのもこのためです。

2-2　PISA型読解力

　こうした新しい学力観はOECDの国際的な学力調査であるPISAでの「読解力」の定義にも共通しています。PISAでの読解力の定義は，

> 　自らの目標を達成し，自らの知識と可能性を発達させ，効果的に社会に参加するために，書かれたテキストを理解し，利用し，熟考する能力

となっています。特に，「社会に参加する」という部分や「利用」「熟考」といったところに注目する必要があります。一つに決まる答えを見つけるだけでなく，自分はどう考えるかといったことを考えて記述することも大切なポイントです。「書かれたテキスト」というのも文章だけではなく，図表など「非連続型テキスト」も含んだ総合的なものです。単に情報を受け取るのではなく，「自分」がそれに対してどう考えるかということも大切な「読解力」

と考えられているのです（以上のような読解力をＰＩＳＡ型読解力と言うこともあります）。学力の内容としても，社会に出て活用されるような創造力，思考力，判断力，表現力といった主体的な側面が重要になってきています。

これからの子どもたちは，グローバル化，情報化，ソフト面重視での産業構造の多様化，といったことにも対応していかなければなりません。もはや「理解」重視のお勉強的学習や受験学力のための学力では対応できないのです。日々変化していく情報化社会に対応するためには，「学び方」そのものに対する反省力（メタ認知の力）なども必要になってきます。

2－3　新学力観を支える「～合う」

しかし，実は，こうした新しい学力観での読解力，そして国語力を伸ばしていくためには，おもしろいことに，一見対極にあるようなことも改めて重要になってきます。それは学びの協働性の重視ということと，それにつながる「基礎基本の確実な定着」ということです。

まず，「個」として学ぶ主体を大切にするということは，一人一人の学力を別々に育てるということではありません。むしろ，双方向的に学びを構成していくことが大切になるのです。共に学び合う場の中での，いわば「個」と「個」のふれあいが，結果として一人一人の学びを深いものにしていくからです。授業形態も教師と子どもの一問一答式だけではなく，子ども同士での実質のある話し合い，読み合いができるようにしていくことが必要です。つまり，自分の学びをより明確に自分のものにするためには，しっかり話し合ったり読み合ったりすることが大切で，そうした協働的な活動が「個」としての学びを深めていくのです。ちなみに，2008年３月公示の小学校学習指導要領・国語では，この意味での「～合う」という表現が24カ所も出てきます（旧学習指導要領では９カ所）。双方向性は，主体的で多様な活動，仲間を介しての学び深めなどにも関わっているのですが，そのことが学習指導要領にも表れています。

2-4　新学力観をめざす指導の「落とし穴」

　しかし、ここに落とし穴があります。「活動あって学習なし」という言葉があるように、話し合い活動をしていても、実質的な内容がきちんと深まっていないことがありがちなのです。相互に批評しあうにはまずそれぞれが観点を持たねばならないのですが、これが難しいことなのです。ではどうすればいいのでしょうか。これには二つのポイントがあります。活動に明確な目的を持たせるということと、一人ひとりの力を耕す、ということです。

　活動の目的の明確化では、授業内部での位置づけが問題になります。「何のために、なにを、どこまで」ということが明確でないと、実のある活動にならないのは当然です。これは教える側の心がけとして大切なポイントです。

　難しいのは一人ひとりの「**基礎基本の力の耕し**」です。これは学力観のいかんに関わらず重要なポイントです。クラス全体で授業が進んでいるように見えても、本当に一人ひとりがしっかり学習しているとは限りません。子どもたち一人ひとりの力を確実に保証する学習には、いろいろなものが考えられます。しっかり活動化して、話し合ったり、書いたり、読んだりする活動に主体的に取り組ませること、学習のモデルを与えることとともに、そのための基礎を作っておくことが必要です。これには、自分で考えるワーク学習など新たな発想での取り組みも必要でしょう。

　そもそも、生涯にわたって続くような「**主体的な学び**」を進めていくには、学校教育段階で「基礎的・基本的な知識・技能の習得」ということが確実に行われている必要があります。また、学びのプロセスを重要視する場合でも、その土台となる基本ができていないと本当の学びにはならないのです。

（森山　卓郎）

▶ 研究課題

1．学習指導要領を分析してみましょう。学習指導要領はつぎのＨＰで読めます。また、以前のものと対照してみましょう。

http://www.mext.go.jp/b_menu/shuppan/sonota/990301b/990301d.htm
http://www.mext.go.jp/a_menu/shotou/new-cs/index.htm

2．高学年には「外国語活動」があります。外国語活動と国語の連携のあり方について考えてみましょう。（参考：『国語からはじめる外国語活動』（森山卓郎編著，慶應義塾大学出版局，2009）。

コラム　学習指導要領と社会の流れ

　学校での国語科教育の基本的なあり方を決めるのは文部科学省の「学習指導要領」です。学習指導要領はほぼ10年ごとに見直しがなされています。大きく考えると学習内容の自由化，緩和，という方向と，高度化，厳格化という方向での振り子のような関係が見て取れます。今回の学習指導要領には，これまでの「ゆとり教育」からの転換という特徴があります。2011年施行の学習指導要領では，学習すべき内容がより具体化されるとともに，「言語活動例」もより具体的に示されるようになりました。実用性ということも重要視されるとともに，「伝統的な言語文化」という教養的な内容も小学校に入ってきました。

　なお，高学年での「外国語活動」も導入されました。国語とも関わっています。小学校での「外国語活動」については，大津由紀雄（編著）2009『危機に立つ日本の英語教育』慶応義塾大学出版会，森山卓郎（編著）2009『国語からはじめる外国語活動』（同）などを御参照下さい。

（森山　卓郎）

第2章 基盤的言語力

◀◀◀ この章のポイント ▶▶▶

国語力を考える場合，まず，「話す・聞く」「書く」「読む」というすべての力をさせるのが「基盤的言語力」です。「文字と表記」，「語彙」，「文法」「音声」の適切な運用です。

 1　文字と表記の学習

1－1　大人は字をどう読んでいる？

　最初に挙げるのは，文字や表記に関するきちんとした能力の習得です。言うまでもなく，文章を読んで何らかの情報を理解するためには，通常，文字をもとに，言語情報を入力することが必要となります。

　文字が一通り読めることと，すらすら読めるということとの間には，実は大きな違いがあります。そのことを検証するために簡単な実験をしてみましょう。次の言葉をなるべく速くさっと読んでみて下さい。

> にほんごでは，おもしろいことに，かんじ，かたかな，ひがらな，といったように，たくさんの　もじが　つわかれています。

　この文は，「日本語では，面白いことに，漢字，片仮名，平仮名，といったように，たくさんの文字が使われています」というように読んで頂けたのではないでしょうか。しかし，実は，ひらがなでは，「ひがらな」「つわかれています」と書いてあります。

　実は，私たちは，文字を読む場合，一字一字を細かく積み重ねるような読み方をしているわけではありません。語のまとまりとして読んでいます。そ

して，まとまりとして読む場合，大体のところで，予想もしているのです。

　子どもたちがある程度慣れてきた場合は，逆に少し予想はできるようになるのですが，こんどは的確な予想ではなく，思い込みで当てはめてしまうような読み方になることがあります。この例で言えば「～といったように」と書いてあるのに，「～というように」というように読むような間違いです。読み違えをしないようにするためにも，「慣れ」と「注意」が必要です。

　このように，私たちは，ふつう文字を一定のまとまりとして読んでいます。正確で効率的に読むためには，「慣れること」「注意深くなること」が必要です。ですから，特に低学年の子どもなど，まだ慣れていない子どもについては，何度も音読させるなど，文字のまとまりと自分の持つ言葉とを適切に連合させていく訓練が重要です。

1－2　知っているようで知らない仮名遣いのポイント

　文字を読む場合も，書く場合も，ポイントになるのは「仮名遣い」です。特に重要となるのは，「は」「へ」「を」といった助詞の書き方や，「せんせい」「おねえさん」のような長音（伸ばす音）の書き方です。

　「エ段長音（伸ばす音）」の書き方から考えてみましょう。「せんせい」を「せんせえ」と書く子がいますがそれは間違いです。逆に，「おねえさん」「ええ」は「おねいさん」と書くと間違いです。これはどうしてでしょうか。

　実は，これには発音の仕方が関わっています。例えば「せんせい」を「センセー」と発音することもありますが，「センセイ」と発音することもあります。その点で「い」で書く必要があるのです。一方，「おねえさん」には「オネーサン」という発音だけで「オネイサン」という発音はありません。このような違いによって，エ段の長音は表記が違うのです。

　オ段長音はその点少し複雑です。例えば，「王監督のファンは多い」は，「オーカントクノ　ファンワ　オーイ」という発音ですが，全部ひらがなで書くと，「おうかんとくのファンはおおい」です。同じ「オー」という音（オ段長音）でも，「王」は「おう」，「多い」は「おおい」と書きます。どち

らも発音は「オー」なのに，どういうときに「おう」で，どういうときに「おお」なのでしょうか。

　一般には，オ段の伸ばす音は「応答（おうとう）」「おうい！」のようにオ段の字の後に「う」を加えて表記します。しかし，「多く」「遠く」「通り」「氷」「狼」など一部のことばでは，「お」を使うのです。これは，昔の仮名遣いと関連があります。「多く」「遠く」「通り」「氷」「狼」などは，昔はそれぞれ「おほく」「とほく」「とほり」「こほり」「おほかみ」と書いていました。古くはそのような発音だったからです。やがて音が変化して「オーク」「トーク」「トーリ」「コーリ」「オーカミ」という発音となったわけですが，ただの伸ばす音とは区別して，古い仮名遣いの影響を残した書き方になっているのです。この書き分けは覚えないといけません。

　なお，特殊なものとして，「言う」があります。これは「ユー」と発音されるのですが，「いわない」「いえ」「いう」などといった活用で「い」という部分が共通することに配慮して，「いう」と表記されます。実際，「ユー」ではなく，文字通り「イウ」という発音も聞かれます。

　このほか，「じぢずづ」の使い分けも仮名遣いの問題になります。「じぢずづ」の四つは伝統的には**四つ仮名**とよばれてきました。中世までは音は違っていたとされていますが，一部の方言を除き，現在では，発音の区別はありません。そのため，ふつうは「じ，ず」のほうを使うというのが基本です。例えば「地」は「ち」と読みますが，「地面」は「じめん」と書きます。

　ただし，「はな＋ち」，「三日＋つき」のように，語としてまとまるときに濁音になる現象（連濁）の場合，その語源意識によって「はなぢ」「みかづき」のように書きます。「つづく」「ちぢむ」のように同じ音の場合も同様です。「沼津」「焼津」「魚津」「木津」など「〜津」という地名がありますが，これらの場合，ふつうは「づ」が使われているようです。

　現代仮名遣いでは，こうしたいろいろな決まりと，助詞を「は」「へ」「を」のように書くという決まりとが要点と言えます。「は」「へ」「を」は助

詞だということがわかることで文章の読み取りが能率的になります。いずれも，完全な「表音式」ではないということに注意が必要です。

　句読点の注意もあります。句点（。）は文の終わりですが，特に読点（，）を打つ場所は厳格な決まりがあるわけではないので，指導がしにくいようです。一般に，「～ば」「～から」などのような接続表現，「だから」のような接続詞の後，「～は」の後など，意味の上で区切れがある場合に，「点（読点）」をうちます。「～た時」「突然」など時間を設定する言葉の後や，列挙する場合，注釈をする場合なども，まとまりに応じて打ちます。

1－3　漢字の読み

　さらに，漢字の読みのシステムの複雑さも子どもたちが直面する課題です。よくいわれる訓読みと音読みというのはなかなか難しい問題です。

(1)　訓読み

　まず，訓読みというのは意味での読み方ですが，一つの漢字に対してどのような意味があるかを当てはめる読み方です。もともと日本語での言葉と中国での言葉とは同じとは限りませんので，対応関係は複雑です。例えば「おさめる」の本来の意味は「整った，あるべき状態にする」といった意味ですが，そこに対応する漢字は「収める」「納める」，「修める」，「治める」など，さまざまです。漢字の一つ一つに意味があるために使い分けができています。これなどは漢字の熟語の使い方などを参考にして考える必要があります。逆に，一つの漢字が複数の訓読みをもつこともあります。「生」は，「うむ」「なま」「いきる」など日本語で複数の概念に対応するので，いろいろな読み方ができています。

　訓読みの場合，送りがなも関わります。基本的には活用する部分から送り仮名を書くという原則ですが，難しいものもあります。例えば，小学校二年生で，「来る」という字の読み方を学習しますが，「来ない」「来ます」など，語全体で次の文字まで読まないと「来」をどう読むかが決定できません。送りがなは，実は活用の概念まで含んでいるのです。

漢字ひとつだけではなく、熟語として全体に読み方が決まることがあります。例えば、「時計」も「計」が「けい」と読めますのでなんだかふつうの音読みのようにも見えますが、全体で慣用化された読み方で、「時」だけで「と」と読めるわけではありません。全体を見ないと読めないのです。こうした熟語としてまとまった場合の訓読みを**熟字訓**と言います。

(2) 音読み

　音読みも**漢音**（中国北方の音。主に奈良時代前期以後に伝来）と**呉音**（中国南方の音、主に奈良時代前期以前に伝来）というように、読み方の違いがあります（さらに少し時代が下がると、唐宋音といわれる新しい読み方すなわち「行灯」（あんどん）のような音があるほか、慣用音と言われる慣用的な音もあります）。例えば「生」でも「セイ」は漢音で、「ショウ」は呉音です。「東京」の「京（きょう）」は呉音ですが「京浜」「京阪」では漢音の「けい」を使います。これなどは社会の学習にもつながります。

　こうした漢字を学習するときにポイントとなるのは、いずれの場合も、意味のまとまりとして読む、意味のまとまりとして書く、ということです。漢字一字だけを取り上げることも大切ですが、日本語での漢字はあくまでも「日本語の語句」を表すために使われているのです。

1-4　漢字の形

　漢字の成り立ちを考える場合、元の意味やしくみについて知っておくと役に立つことがあります。例えば、「初」を「示へん」で書く間違いがありますが、衣を作るときに初めに布を切るから「衣へん」に「刀」という字だと教えると、こうした間違いは防げます。

　「北」の左側と土偏とを間違える子どももあるようです。そこで、「ヒ」という形が「人」を表していた、という知識などがあれば楽しく漢字の学習ができます。「北」と「比」も共に「ヒ」という人の形を利用しています。人が背中合わせになるのが「北」で、「背」という字にもそのことが表れています。「北」の場合、太陽と背中合わせになる方角ということで、「北」を表

すようになったとされています。一方，同じ方向を向くのが「比」です。そこから「比べる」ことを表すようになったと考えられています。

漢字の学習では，ちょっとした漢字の豆知識でも楽しく学習を進めるきっかけになります（ただし，研究者や辞典によって説明が違うこともあります。最終的な証明をしていくには難しいところもあるようです）。

1－5　漢字の成り立ち：「六書」

漢字の成り立ちについて，「六書」という分類が有名です（『説文解字』という2000年ほど昔の漢字の本にある説明です）。「象形」「指事」「会意」「形声」「転注」「仮借」という六つです。

「象形」とは，「口」「川」「山」のように形をかたどる方法でできた字，「指事」は「中，上」のように抽象的なものごとを指し示すようにしてできた字，です。絵やイメージを利用して学習すると覚えやすいでしょう。

これらの組み合わせに二種類あります。一つは，「会意」で，意味を合わせたものです（「森」のような同じ字もあれば「明」のように違う字を組み合わせたものもあります）。「峠」「辻」などは日本でできた漢字ですが，会意によってできています。もう一つは「形声」で，「工」が「こう」という音をあらわすようになって「江」「紅」などの字になっているといった例で，「音を表す成分」を利用してできた漢字です。これは特に漢字の読み方を考える上でヒントになります。会意と形声の両方の要素がある場合もあります（会意形声と言います）。

これらに対して，漢字の使い方として，さらに「転注」「仮借」の二つありますが，これらは小学校の国語教育ではあまり取り上げられていないようです。「楽」のように意味が変わるものが「転注」とされています。「菩薩」「仏陀」のように音だけを表す使い方のものが「仮借」です。「我」は「のこぎり」を表す「我」という字を音の共通性だけで当てはめた字とされていますが，これも仮借です。ちなみに現代の中国でも「可口可楽」（コカコーラのこと）など面白い例がいろいろあります。

1-6 漢字と語彙の学習の現在の課題

　日本語において漢語（漢字の音読みで読む言葉）が多いということは，語彙の学習と漢字の学習の両方に関わる問題です。漢字はいわゆる表意文字であるために使い分けがなされますし，そもそも漢語には同音異義語も数多くあります。同音異義語の使い分けは重要です。平成20年の全国学力・学力状況調査で「集会や行事などをする場所を開いて人を入れること」として「カイジョウ」を「開場」と答えられたのはわずか37.1％でした。ちなみに，「会議や集まりなどが行われる場所」として「会場」と答えられたのは58.3％です。

　学力低下などと騒がれることがありますが，実は漢字を読んだり書いたりする力そのものは決して下がっているわけではありません。例えば「投げる」と書けたのは，昭和39年度の全国学力調査では56.7％ですが，平成20年度では82.7％とよくなっています。「往復」も昭和39年度が29.4％に比べ，平成20年度では64.5％です。書き取り的な漢字学習はそこそこできるようになってきているのです。ただ，意味とも相関させたまさに「活用できる力」としての漢字学習，いわば語彙の学習と連動させた漢字学習が今の課題です。

　このように，漢字学習では，形，音，義（意味）という漢字の三つの要点を学習することと同時に，「語」としての様々な形にふれておくことも有意義なのです。読書がさかんに推奨されるのは，様々な漢字語との出会いができるからです。また，未出漢字と出会う場合にも，不自然に一部を平仮名になおすのではなく，ふりがなを有効に活用することが望ましいと考えられます。文字をまとまりで読んでいくということとも深く関係しているからです。

 2　語彙力

2-1　語彙（ボキャブラリー）の教育

　語彙とは語の集合（ボキャブラリー）のことです。「語彙の理解」とは，どれだけの語を知っているか，使えるかという問題です（それぞれ，理解語

彙，表現語彙と呼び分けられます）。たとえ知らなくても漢字などの文字の知識からその内容を推測する力をつけておくことも必要です。

2-2 「語の意味の違い」について考える

一応「知っている」言葉でも，「使う」「深く理解する」ということを考える場合，そこに意味と用法の違いなどに注意することが必要になります。このことを示すのが，平成20年度の全国学力・学習状況調査の語彙の問題です。すなわち，「似た意味の言葉調べ」の学習で，「走行する」と「走る」という言葉を比べてわかったこと，という課題設定です。

「走行する」と「走る」を比べて
- ●わかったこと
- ◆自動車が主語のとき，「走行する」も「走る」も使う。
  - （例）　自動車が走行する　　○
  -     　　自動車が走る　　　　○
- ◆人間が主語のとき，「走行する」は使わないが「走る」は使う。
  - （例）　山下さんが運動会のリレーで走行する。×
  -     　　山下さんが運動会のリレーで走る　○
- ●■「走行する」は，「走る」と比べると，[　　]と考えた。

この括弧の中に次のうちの一つを選ぶという問題です。

1　使い方の範囲が完全に同じで，いつも置き換えて使える。
2　使い方の範囲が広く，人間が走る場合にも使える。
3　使い方の範囲が重ならないので，それぞれ別に使う。
4　使い方の範囲がせまく，人間が走る場合には使えない。

この正解は4ですが，正答率はわずか53％でした。二つの言葉を比べて，その意味が広いかどうかを考えるということは，言葉の学習をしていく場合に大変重要な要素です。「意味の広さ」のような，言語について考える力をしっかりとつけることが必要だということがわかってきています。

2-3　漢語・和語・外来語

　こうした意味の違いを考える時に**漢語**と**和語**と**外来語**という違いも重要なポイントです（こうした語の出自による違いを「語種」と呼びます）。
　漢語とは漢字の音読みでできた語です。「読書」、「乗車」、「退会」のように語順が違うことなどは注意されるところです。「車に乗る」と「乗車する」のような対応をたくさん考えさせるような活動をしたいものです。このほか「森と林」とからできる「森林」のような並列的なものなど、いろいろな種類を考えさせる授業が考えられるでしょう。これは文体にも関わるので、文章の書き換えという流れでやってもおもしろいことです。
　和語とは日本固有の語です。漢字で書かれない語もありますし、漢字で仮に書いても訓読みで読まれる語です。和語と漢語を比べるとき、意味の点での違いも重要です。例えば、一般に、和語に対して漢語は、正式、大規模といった意味になることが多いと言われています。文体も違ってくることがふつうです。例えば、「建設する」と「建てる」の意味は違います。「建設する」のは大きいものであり、「日曜大工で犬小屋を建設する」とはふつう言いません。積み木遊びなどの文脈で「家を建設する」などと子どもたちが言うこともないでしょう。
　このように、ふだんの生活では使わない言葉であっても、社会ではよく使われています。その点で、意味と用法をふまえてしっかり理解しておくことは重要なのです。
　外来語は比較的新しい時代に外国から入った語です。外来語の場合も意味やニュアンスの違いはあります。「白飯」と「ライス」のように、ニュアンスの違いだけで言い換えられるものもありますが、「つくえ」と「テーブル」「デスク」のように、意味が違ってくるものもあります。外来語は新しいニュアンスや感覚が大切にされますので、「チャック」「ジッパー」「ファスナー」のように、同じ物で違う語のものもあります。
　ちなみに、外来語でおもしろいのが出自の問題です。「ガトーショコラ」

（フランス語）と「チョコレートケーキ」（英語）は意味的には同じですが，ニュアンスは違います。「カルテ」（ドイツ語）と「カード」（英語），「ゴム」（オランダ語），「ガム」（英語）も，もともとの言語が違うものの本来はさほど違わないものなのですが，日本語では意味や用法が違っています。

　和製英語もあります。ハンドル steering wheel，フロントガラス wind shield，プレイガイド ticket agent などの片仮名語です。調べ学習などで学びを広げていくことができます。

2-4　イメージとの関連　—「レモン」と聞くと？—

　語の意味について考えるとき，イメージの問題も重要です。例えば，レモンと言えば，酸っぱいといった連想もありますが，関連して，例えばさわやか，とか，みずみずしさといったイメージがあるのではないでしょうか。ちなみに，英語では「ぽんこつ」という意味もあるように，文化によってそのイメージは違います。例えば「レモンのような〜」といった表現の意味をきちんと理解するにはそうしたイメージや連想も考えておく必要があります。

　こうした連想は，読みにおいては題名からの内容の想像や，なぜそのような題名なのかを考えるような読みの学習にも生きてきます。言葉の意味を図に示すことで，より視覚的に整理することもできます。関係づけの線を引いて図による整理をする方法はマッピングと呼ばれます（第3章2-3参照）。

2-5　オノマトペ

　言葉の「音」が表すイメージにつながっているのがオノマトペ（擬音語・擬態語。「オノマトペア」ということもあります）です。オノマトペはそれ自体がイメージを表す言葉とも言えますが，そのイメージを楽しむ経験は低学年くらいから持っておきたいものです。日本語では「ふらふらとふらつく」「びくびくとびくつく」のように，オノマトペは副詞として使われるだけではなく一部の動詞の一部分にもなっています。

　オノマトペにはいろいろな特徴があります。例えば，濁音のオノマトペは大きなイメージや悪いイメージになりやすいと言われています。「小石がこ

ろころ転がる」に対しての「大きな石がごろごろ転がる」,「くるっと回る」「ぐるっと回る」は前者の例です。一方,「きらきら光る」と「ぎらぎら光る」は後者の例です。

　もう一つ,オノマトペには母音の違いも関わっていて,「きーん」,「しーん」などイ音は高い音や無音に近い場合に使われます。一方,オ音は「ごうごう」「ぼおん」など大きい音や低い音が多いと言えます。

　オノマトペには,例えば蛙の鳴き声を表す草野心平の「ケルルンクック」など,作者が自分で作った独自のものもあります。詩的な表現をする場合,こうしたユニークな,オリジナルなオノマトペを思いつくことができれば,表現はとても豊かになっていくことでしょう。

2-6　国語辞典の利用

　また,国語辞典を使って言葉を調べる力をつけるのも,この段階に位置づけられます。単に辞典で文字や言葉を引き当てるのにも慣れが必要ですし,さらに,辞典に書かれた語釈を読んでその意味について考え,きちんと利用することも必要です。

　言葉の意味をどう説明するかは難しいことですが,おもしろいことでもあります。辞典を「読む」ことも言葉の意味を考える学習になります。例えば「左」はどう説明されているかを二つの辞典で見てみましょう。

・「南を見たときに東に当たるほう。」(『例解小学国語辞典』)
・「アナログ時計の文字盤に向かった時に,七時から十一時までの表示の有る側。「明」という漢字の「日」が書かれている側と一致。また,人の背骨の中心線と鼻の先端とを含む平面で空間を二つの部分に分けた時に,大部分の人の場合,心臓の搏動を感じる場所が有る方の部分」(『新明解国語辞典　第五版』)

　このように,身近な言葉でも,いざ説明すると意外に難しいことがあります。それぞれの辞典にも工夫があります。場合によっては意味を説明する文

として辞典を活用して，どの言葉の説明かを推測したり，いろいろな説明を比べたり，あるいは自分なりに書き直したりすること，すなわち「辞典の読書」も，楽しい意味の学習になります。

2-7　比喩とイメージ

　語彙が関わる重要な修辞が比喩の表現です。わかりやすい「オオカミのような〜」のような比喩から考えてみましょう。例えば，この比喩表現では，「オオカミ」のイメージとして一般的に理解される特徴，例えば恐ろしいとか，襲うといった意味が表されます。このように，比喩では，本来違うものについて，特定の意味特徴が取り出されます。

　比喩表現では，その意味の特徴やイメージが大切です。例えば同じ「黄色」でも，「みずみずしいレモンのような黄色」というのと，「パンツについた小便のシミのような黄色」というのとでは全くイメージが違ってきます（極端な例ですが）。どのようなイメージの言葉かということが重要です。

2-8　直喩と隠喩。そして，比喩的なとらえ方

　「〜のような」のような比喩を直喩と言いますが，「鉄板が紙のように吹き飛んでいく」「まるで紙が吹き飛ぶように，鉄板が吹き飛んでいく」のように，動きとしてもいろいろな比喩表現ができます。

　比喩であるということを形の上で示さない比喩表現もあります。これは隠喩と言います。「彼はオオカミだ」「人生は旅だ」などです。実はこうしたとらえ方は私たちの日常の表現の中にたくさん入っています。「袋の口」「椅子の脚」などは人体あるいは動物の「口」「あし」からの比喩表現と言えます。比喩表現によって言葉の意味が広がっているのです。

　また，比喩表現にはとらえ方（発想）として共通のものもあります。例えば，「人生の終着点」「人生の寄り道」などの言い方は「人生は旅だ」という比喩表現と同じ発想の上に位置づけられます。こうした表現と発想は英語など他の言語でも同じように見られることがあります。

2-9 比喩とその周辺

広い意味での比喩表現の使い方は様々です。様子を表すための比喩もありますが、一つのお話がまるごと何かの比喩になっている場合もあります。例えばイソップのお話は動物を人間のように描きつつ教訓や人生訓を一つの話に喩えたものです(「寓話」と呼びます)。

さて、狭い意味での比喩は直喩と隠喩ですが、広い意味での比喩として、「メトニミー(換喩)」もあります。性質ではなく、近くにあるもので喩えるような表現です。例えば、「(車の)ハンドルを握る」ことが実際には「車の運転をすること」を表すような例です。例えば「遠足には水筒を持ってきなさい」などと言う場合も「水筒」そのものだけではなく「水筒の中のお茶」なども含んだものを表すわけですが、こうした使い方にもよく出会います。

 ## 3 文法力

3-1 なぜ「文法」？

ここで挙げる「文法」は、ちょっと意外に思われるかもしれません。すでに母語として「習得」しているからです。もちろん、文法的理解ということは決して「文法用語の学習」ではありません。ふつうの文の的確な理解ができるということです。

実は、子ども達は日本語を「習得」してはいても、その論理関係を必ずしもいつもしっかりと正確に把握できているわけではありません。言語表現からいかに意味や論理を読みとるかという「運用としての文法能力」は完全とは限りません。

語順でも子どもが混乱することがあります。次の表は、「遠足の時、AさんはBくんを大きな声で呼びましたが、聞こえないようでした。」(普通語順)と、「運動会の時、AさんはBくんが大きな声で呼びましたが、聞こえないようでした。」(置き換え語順)で、「呼んだのは誰ですか」という質問の正解率です。やはり間違った回答がありました(京都市内の公立小学校の

3年生での正解率。n＝63)。

	置き換え語順	普通語順
正解　（人）	44 (69.8%)	62 (98.4%)
不正解（人）	19 (30.2%)	1 (1.6%)

$\chi^2(1)=19.26 \quad p<.01$

　こうした調査から見えてくるのは，文法的に言葉の意味を考えるという姿勢の大切さです。言語表現の意味解釈は，母語話者であれば半ば自動的になされているかのようですが，実は，その裏で，複雑な解釈作業と意味の計算がなされています。「読む」ことに慣れた大人の場合，あまり意識しないというだけで，表現解釈にも一定の手続きがあるのです。

　主語と述語の関係なども注意が必要で，特に表現する場合，

　　私が好きな果物はいちごがすきです。

のような「ねじれ文」を言ったり書いたりすることがあります。日本語では主語がない文も自然に使われますので行き過ぎた指導は問題ですが，必要に応じて基本となる主述のつながりを押さえるようにすることは必要です。

　自分が話をしたり，何かを書いたりする場合でも同じことは問題になります。表現に意識をしないことで相手に誤解を与えてしまうことも考えられます。うっかりとおかしな表現をしてしまうこともよくあります（第4章「書くこと」で述べます）が，推敲の力も必要です。

　このように，小学生の段階の「母語」は，いわゆる自然言語としての通常の「文法」としては習得できているはずです。しかし，社会的なレベルでの運用能力（社会的言語習得）という観点で考えることが必要なのです。

3－2　接続表現

　接続表現も文法の問題です。次のように分類することができます。高校や中学では複雑な表現も出てきます。

> 【累加系】
>   同類並列(同様のことの追加)：第一に，次に，おまけに，また，そして，
>   主張の追加：第一，そもそも，
>   状況設定的累加：すると（観察型），そこで（対処型）
>   対比的累加：一方，他方，これに対して
> 【原因理由系】
>   順接（予想通りの後件前件が後件を導く）：だから，それで，従って，
>   理由説明（逆の順接）：というのは，なぜなら，だって
> 【逆接系】
>   逆接（予想をはずれた後件）：しかし，でも，けれど，ところが
>   不十分な部分の補足（部分的な逆接・注釈）：もっとも，ただし
> 【発展系】
>   転換（話題の流れの転換）：さて，ところで，それはさておき（離脱），
>   そもそも（出発点誘導型）
>   新段階提示（新しい情報の導入）：それでは，では，じゃあ
> 【説明系】
>   置換（同類の主張による置き換え）：つまり，要するに（まとめ型），
>   いわば（言い換え型），すなわち，
>   例示：例えば，
>   総括：以上から，このように，以上述べてきたように

　まとめでよく使われるのは，「このように」「以上のように」「以上から」といった言葉です。これらは品詞としての接続詞でなく，いわゆるつなぎことばとしての表現のまとまりです。狭い意味の接続詞以外にも様々な表現の働きに注目することが必要です。

3-3　指示語

　指示語は「こそあど」言葉と呼ばれますが，特に文章を読んだり書いたり

する場合に重要なものは「こ」「そ」です。

　よく，「こ，そ，あ」の違いについて，近距離，中距離，遠距離，というように説明されることがあります。確かにタクシーで運転手さんに，

　　「ここで／そこで／あそこで　留めて下さい」

と言うと，「こ，そ，あ」の違いは距離の近さに対応しています。

　しかし，これは視点が同じで，しかも「現場」を示す場合だからです。いくら近くでも，相手の視点になっていれば「そ」を使います。例えば，歯医者さんが，「痛いのはここですか？」と聞いて，患者が「そこです」と答える場合，単に距離の近さという説明は成り立ちません。

　基本的に，相手と自分の視点が対立するような場合，自分の領域が「こ」，相手の領域が「そ」，そして，それ以外が「あ」というように説明されます。さきほどの歯医者さんの例で言えば，相手が歯を診ていて，しかも「ここですか」というように聞いているわけですから，すでに相手の領域にあるものと位置づけられます。この場合，自分の体の一部でも「そ」で指すことになっています。

　文章で使う場合，相手もすぐわかるようにすでに提示されたものは「そ」で指しますが，自分が提示していくものは「こ」で指します。実際の用例では，「そ」「こ」どちらも使えるという場合も多いのですが，特に一方的に説明する場合や，あらかじめ「こんなことがありました。つまり〜」というように前置きで言うような場合は「こ」が使われます。

　指示語は言い換えなどでもよく使われますが，単に，指示語を使えば言い換えができて便利だ，とは言えません。例えば，

　　この病気は薬ですぐ治る。しかし，その薬がこの船にはない。

のように，「その」を使うことで，どのようなものかということの説明にもなっています。この「その」などを抜くと文のつながりが不自然になります。

　また，「そのうち，わかるよ」のように「そ」が具体的に何かを指しているわけではないということもあります。教師は，指示語の働きを押さえた上

で，「こ，そ，あ」の指導をする必要があります。

3－4　敬語の新常識―三分類と五分類

　敬語形式は，一般に，尊敬，謙譲，丁寧の三つに分類されるのがこれまででした。最近，文化審議会の答申（平成19年度文化審議会答申（19.2.2）「敬語の指針」）によって，五分類が示されるようになり，教育関係者は五分類の知識が必要になっています。ここでは，まず，三分類についてまとめた後で，五分類についても議論していきましょう。

　尊敬語とは，主語，所有者に対する敬意を表すものです。

　　　お～になる，～なさる，～られる，お＋名詞　（例）お車，ご研究

などの形があります。「先生がお話しになる」のような表現です。

　謙譲語（謙譲語Ⅰ）とは，非主語（多くは動きの相手）に対する敬意を表すものです。

　　　お～する，お～申し上げる

などがあり「先生にお話しする」のような表現です。尊敬語と謙譲語は普通身内には使いません。「父がおっしゃった」などとは言わないのです。

　丁寧語とは，聞き手に対する敬意や距離感を表す敬語形式で，

　　　です／ます，でございます

があります。小学校ではまず最初にしっかり使えるようにしたおきたい敬語です。丁寧語を使う文体を**敬体**，使わない文体を**常体**と呼ぶことがあります。「でございます」も丁寧語です。

　小学校などでの教育では，この三分類でいいという考え方があるのですが，さらに，五分類についてもみていきましょう。これは，美化語，丁重語（謙譲語Ⅱとも）という敬語形式も含めた分類です。

　美化語とは，言葉を美しくいうという機能だけがある表現で，

　　　犬をおふろに入れてあげる

のような「あげる」や「お～」という形がこれに当たります。「ふろ」「やる」と言えばやや乱暴に聞こえるので，「お」をつけたり，「あげる」を使っ

たりしているのですが，この「あげる」の使い方には違和感を覚える人もあるようです。

　丁重語（謙譲語Ⅱ）とは，丁寧語と一緒に使われ聞き手に対する敬意を表すものです。従来は広い意味での謙譲語に入っていました。

　　私が係員に連絡致します。

などの「いたす」がこれに当たります。主語は一段下げた言い方になります。主語が人の場合，通常話し手側人物であることが多いと言えます。

　　存ずる→存じます，申す→申します，おる→おります

などもそうです。「ます」と一緒に使われることに注意して下さい。「私が先生に御連絡致します」のように謙譲語（謙譲語Ⅰ）とこの丁重語（謙譲語Ⅱ）が一緒に使われることもあります。

▶ 4　音声言語力

4−1　音声の特質(1)「あいうえお」ってどう発音している？

　よく，「いつも大きく口を開けて」という発音指導をすることがありますが，それは間違いです。小学校一年生では口形図が載せられますが，発音を指導するとき，そのメカニズムに注意することが重要なのです。

　では，私たちはどのようにして発音をしているのでしょうか。試みに「あいう」のように母音を発音してみましょう。舌の位置と口の開き方が調整されていることに気づきます。舌を一番下にして大きく口を開けて発音するのは，「あ」です。一方，「い」「う」は，口をあまり開けず，舌は基本的に上の方に位置するようにして発音します。

　「い」「う」は「狭い母音」と言われていますが，これらは「口を大きく開けて」発音するというわけにはいきません。「い」では舌を前の方によせ，口を横に開きながら発音し，「う」では舌を後ろの方にずらして，口をこころもち丸めるようにして発音することがふつうです。ちなみに，沖縄の伝統的な方言では基本的な母音は「あ，い，う」の三つです。

模式的に言えば,「え」は,「あ」「い」の間にあるような発音であり,「お」は「う」「あ」の間に位置するような発音です（例えば,「い」と発音しながら「あ」に近づけていくと「え」に近い音がでます）。このように,口の形だけではなく舌の形（位置）と口をどう開けるかが重要です。

4－2　音声の特質(2)「あかさたな」はどう発音している？

　さらに, 子音を発音する場合はどうでしょう。発音の位置と方法を意識してみましょう。例えばマ行パ行バ行は唇を閉じるのに対し, カ行ガ行は口の舌の奥の方を閉じる発音です。そして, マ行ナ行の音は鼻にかかる音（鼻音）ですが, パ行, バ行, タ行, ダ行, カ行, ガ行はいったん閉じて圧力をくわえてからぽんとそれを開放する音です（破裂音）。サ行, ザ行, ハ行は音の通り道を狭くする音（摩擦音）によって発音されます。

　なお, ガ行やバ行などの濁音では子音の発音の段階で声帯が動いています（こそこそ声で話してものどに手を当てると少し声帯が震えるのがわかります。有声音と言われます）。

　こうした発音のしくみはローマ字とも関連しています。

　　　さ sa　し shi　す su　せ se　そ so

では,「し」が,

　　　た ta　ち chi　つ tsu　て te　と to

では「ち」「つ」が, 同じ列でもそれぞれ他の音と比べると発音に違いがあります。それぞれ,「スィ」,「ティ」「トゥ」といった音にはなっていません。このことと関連して, 訓令式ローマ字では, サ行はすべて「s」タ行はすべて「t」で表されますが, 上に書いたように, 英語式の発想を取り入れたヘボン式ローマ字では, 表記が違っています（巻末にローマ字表）。

　おもしろいことに,「あかさたな」という並べ方には理由があります。「あ」から「ま」までは, 実は発音の位置に関連しているのです。わかりやすいのは「うくすつぬふむ」というウ段の音ですが, 発音する場所がだんだん後から前にいっています。発音の場所を考えてみるのも楽しいことです。

多くの子どもたちは無意識のうちに口の構えができているものですが、そうでない子どももいます。音声言語指導力を持つためには、教師はそれぞれの音について、意識的になる必要があります。

4-3　間（ポーズ）

音声言語では、話すこと、聞くことが共に重要なポイントになります（ほかに、声に出して読む、ということも深く関わっています）。

きちんとした発音で音声言語が使えるためには、きちんとした声の大きさ、適切な速さで話せることが前提です。それぞれの音の発音の正確さということも重要です。いわば、「声だし」の基本ができているかどうかということが重要なのです。日ごろの意識づけの問題です。

次に問題になるのは、区切りです。語の意味に応じた「間」のとり方ができるかという問題は、ポーズ（区切り、間）と言われます。例えば「大きい象の絵」の多義性（「象＝大きい」「絵＝大きい」）は、ポーズによって調整できます。区切りによって意味は変わってくるのです。わかりやすいように間をおいて発音できるかどうかも大切にしたいところです。

なお、音読において、「，」は一拍「。」は二拍というような単純で機械的なポーズは設定すべきではありません。休止の長さは文脈と表現に向き合って考える必要があります。ある場所での「。」あるいは「，」について、どれだけのポーズをとるのかを話し合わせることも重要な学習なのです。

4-4　アクセントとイントネーション

さらに、音の高さも重要なポイントです。これにはアクセントとイントネーションがあります。アクセントは語ごと（文節ごと）に決まった音の高さ、イントネーションは、節や文のレベルで、意味に関連して調整される音の高さです。いずれも方言による違いがあります。

例えば、共通語の「雨」「飴」の発音の違いなどはアクセントです。「あ」が高いと「雨（あめ）」、「め」が高いと「飴（あめ）」になります。共通語では、最初の音と次の音の高さが違います。語の種類によってアクセントが決

まっている場合もあります。例えば、二字の女性の名の場合、共通語では、最初の音が高く、次の音が低いというルールがあります。「くみ　かな　ゆき　りか」のようになっているのです。

このように、アクセントは語によって決まっていて、同音異義語の区別や語のまとまりを考える上で参考になることがあります。方言差もあり、例えば「飴」は関西方言では「あめ」のように両方の音が高い音です。

一方、イントネーションは、文の意味に対応しています。例えば、
　　行くの。↓　行くの？↑
の二つの文では意味が違います（第3章4－5参照。音声による読み深め）。

4－5　速さ，大きさ

このほか、発音では、速さと大きさも大切なポイントです。「速さ」は同じではなく、強調するところは遅くするなど、調整することができます。「大きさ」も同様です。大きく発音して強めることをプロミネンスと言いますが、「太郎は新幹線ではなく飛行機で東京へ行った。」のように、強調したいこと（この文では「飛行機で」）は、大きく発音します。　　　　（森山　卓郎）

▶ 研究課題

1　「私たちは明日草原で遊ぶ」は全部で何通りの読み方で読めるでしょう。
2　「走る」と「駆ける」，「寝る」と「眠る」はどう意味が違うでしょう。
3　次の敬語の使い方には間違いがあるでしょうか。
　　a　こちらからお入りして下さい。
　　b　お風呂が沸いております。（旅館の人が客に）
　　c　問題がありましたら何でも私に伺ってください。
　　d　お客様はお部屋におります。
4　次の表現の二通りの意味を検討し，発音について考えて下さい。
　　絵画展に入選した田中君のお姉さん
　　私は彼のように歌が好きではない。

✎ コラム　硬筆：文字を書くことと「目」と「手」には関係がある？

　きれいな文字を書くポイントは「目」と「手」です。
　例えば，ひらがなの「か」はどのような形をしているのでしょうか。[カ]のように書いても確かに「か」とは読めますが，本来の形ではありません。正しくは，[か]のようになります。（活字では形が少し違います）ひらがなは漢字からできました。例えば，[加]→[か]→[か]という具合です。つまり文字には正しい形があることを受けて，その文字が書く場所に対してどうおさまっているかということを認識できる「目」が大切なのです。
　そのためには，文字の一画目が大切になります。「わ」の一画目はどこに書いたらいいでしょう。[わ]のようになるのは，[｜]のように中心に一画目を書いてしまうのが原因です。正しくは[｜]の位置に書き[わ]の部分のふくらみを大きくすると美しい「わ」になります。
　このことは，漢字でも同じです。「ごんべん」の一画目の点はどこに書いたらいいでしょう。[言]に一画目を書くとその時点で形が変わってしまいます。正しくは，[言]となります。つまり，一文字の「言」と「ごんべん」では形が変化し，違う形になることがわかります。
　また，文字の上手い下手には筆記用具の持ち方も関係しています。鉛筆やペンの向きが不自然になって，はじ（ペン先ではない方）が，自分の前方や向こう側を向くように持って文字を書いている人がいますが，この持ち方は，机に接する手首の曲げ方と位置，そして指の交わりや重なりが関係しています。このような持ち方で文字を書くと，線の強弱や速さの変化が出しにくく，横線を並行に引く傾向にあり，字形が平板になるなど，本来の形とは違う文字を書いてしまいます。

　　　　　　　　　　　　　ペンに接する指の位置や指の重なり，手の
　　　　　　　　　　　　中でのペンの位置や方向に気を配り，正しい
　　　　　　　　　　　　持ち方で書くことが，美しい文字を書くため
　　　　　　　　　　　　には大切です。
　　　　　　　　　　　　　　　　　　　　　　　　（藤岡　宏章）

コラム　年少日本語学習者の教科学習

　グルーバル化の進行，その他さまざまな政治的・社会的な要因が重なり，日本の学校にも，日本語を第二言語として学習する児童生徒が増えてきています。これらの日本語学習児童生徒は，日常生活を送るために必要な日本語の習得はもちろんのこと，算数，社会など，教科の学習も行わなくてはいけません。教科学習での，話す，聞く，書く，読むという活動では，場面に応じた言語能力が必要となります。学習を行うにあたり必要な言語能力を総称して「学習言語」または「学習言語能力」などとよびます。

　学習言語は，日常会話などで子どもたちが慣れ親しんでいる言語使用とかけ離れていることも多く，その習得には時間がかかると言われています。語彙を例にとってみても，学校での学習場面では，子どもの日常生活ではあまり馴染みのない言葉や，日常生活とは違った意味で使われる言葉がたくさん出てくるのです。算数の「和をもとめなさい」の「和」は，国語で出てくる「和のこころ」などとも違いますし，そもそも，子どもの日常生活では馴染みの薄い言葉でしょう。「引く」は子どもの世界では，自分の側に物体を動かす意で使われるのが普通ですが，算数の「10から5を引く」の「引く」はこの意ではありません。小学校の4年生あたりから，教科書でも漢語の量が急増していきます。高学年にもなれば，日常語で使う「動く」は，教科書では「運動する」「移動する」や「活動する」などと書かれます。こうした語を正確に理解するには，それぞれ意味が微妙に違うということがわかっていなくてはいけません。和語に比べ，漢語は，意味が限定されていることが多いからです。文法でも，抽象度を高めるための受身表現や，修飾語の多くついた複雑な文など，日常会話では使わないような構文が教科書にはたくさん出てきます。こうした学習場面で使用される言語の習得が不十分だと，教科学習に支障をきたすことになってしまいます。

　このように学習言語の習得は，教科の学習に大変大きな役割を果たします。しかし，年少の日本語学習者は，日常生活に必要な会話能力を比較的早く身

につけてしまうために，会話の流暢さにごまかされて，彼らが抱えているかもしれない学習言語の習得の不十分さに，教師が気づかないことも少なくないのです。教科学習がはかどらない児童生徒がいた場合，どんなに会話が流暢でも，在日年数が長くても，たとえ日本生まれの外国につながる児童生徒であっても，まず学習言語の習得が不十分ではないのかを疑ってみるほうがよいでしょう。そして，教師は，日本語指導者と協力して，学習言語能力を補強するための支援計画を立ててあげる必要があります。

　教師が何気なく授業中に使っている単語や言い回しの中にも，子どもの日常的な言葉とかけ離れているものがあります。学習言語は，書きことばだけを対象としたものではないのです。そして，学習言語の習得につまずいている児童生徒は，日本語母語話者の中にもかなりいると考えられます。授業中に，こまめに単語の理解のチェックを行ったり，やさしい言い回しで説明を繰り返してみたりすることは，実は，日本語学習児童生徒だけでなく，日本語を母語とする児童生徒にとっても，効果的な指導法なのです。

（バトラー後藤裕子）

第3章 読むこと

◀◀◀ この章のポイント ▶▶▶

「読むこと」にはいろいろな力が関わっています。表現を考えること，文脈的操作として情報を集積，予測し，「文脈」を読み取れること，そして，主体的に関わるということです。

▶ 1 「読むこと」全般に関わる文脈的言語力

1－1 表現から読み深める

まず読むこと全体に関わって，言語表現から読みを深めるということについて考えてみましょう（「表現読み」と呼ぶこともできます）。具体的には，語彙，文法，音声からの読み深めもあります。**題名よみ**という表題からの内容の類推もあります。

1－2 語彙からの読み深め

語彙からの読み深め（言葉比べ読み）とは，どういう語が使われているのかという観点から表現を考えていく読み方です。特に，なぜそのような言葉が使われているのか，ほかの言葉との違いは何かということを考えます。

「見る」という動きをどう表すかを例にして考えてみましょう。例えば，「大造じいさんとガン」（椋鳩十・光村ほか・5年）では，ハヤブサはじいさんの姿を「みとめると」さっさと逃げていきます。それに対して，ハヤブサと戦ってぐったりとした「残雪」は，大造じいさんが近づいても逃げられません。そこでは「じいさんを正面からにらみつけました」という描写になっています。鳥たちの「見る」動作でも「みとめる」と「にらみつける」が使い分けられているのです。この「残雪」の「にらみつける」という動きには，

抵抗をしようとしている強さ，そしてその意志の力が読み取れます。一方，ハヤブサは，「みとめる」というように，人間を認識するとすぐさっさと逃げたのであり，人間に対する態度は対照的です。

例えば，「見る」を例にしても，「にらむ，ながめる，見下ろす，見上げる，ふりかえる，のぞく…」など，いろいろな言葉があります。こうした言葉の選び方を考えると，言語表現を深く検討することができます。

1－3 文法からの読み深め

文法からの読み深めとは，なぜそのような表現になっているかという文法的な観点からの検討です。例えば，文部省唱歌の「こいのぼり」の，

> 甍の波と雲の波，重なる波の中空を
> 橘薫る朝風に　高く泳ぐや　鯉のぼり

という歌詞を読む場合，文法的に「中空を」という表現に注目して「中空で」とどう違うのかを考えてみるとどうでしょうか。「を」になることで，まるで鯉のぼりが移動しているかのようないきいきとした表現であるということに気づくことができます。「～を泳ぐ」は「～で泳ぐ」に比べて，移動（とその経路）が問題になる表現です。例えば「お風呂で泳ぐ」ことはあっても「お風呂を泳ぐ」ことは普通ありません。「重なる波の中空を」という表現になることで，移動空間のように表現されているのです。「を」を隠して考えてもらうことも一つのアイデアです（ブランク法。本章7－2参照）。

しかし，このように表現の仕方に注意して，なぜそう表現されたかを考えながら読むことは，子供には難しいことです。そこで教師の働きかけが必要となります（このほかハ・ガの選び方，係り受けなど多様なことがあります。森山2000『表現を味わうための日本語文法』岩波書店刊を参照）。

また，説明文では，例えば「ました」という文末と「～（の）です」という文末というように，文末の形に注目することで文章の構成が読み取れることがあります。これも文法からの読み深めです。

▶ 2　情報の取り出し・加工・関連づけ

2−1　内容面での情報の読み取り

　表現読みは，ある意味で「使われている言葉」という「形式」面からのアプローチです。一方，「内容」面で，どう情報を読み取っていくかということもあります。

　一般に，何かを読んでいくということは，書いてあることを情報内容として把握することです。こうした操作ができるようになって，必要に応じてまとめたり情報の位置付けをしていったりすることができるようになります。

　「読む」過程で，情報を抽出したり集積したりするということは，読み取った情報をほかの表現に加工すること，すなわち，ほかの表現に置き換えることでもあります。これに関連して，図示したり動作化したりするような様々な方法での情報の把握についても考えてみたいと思います。

　また，言うまでもないことですが，本の挿絵，写真，図表をとりあげる読み方も重要です。文章との整合性，効果も考える必要があります。

2−2　パラフレーズ（言い換え）

　まず，取り出した情報を整理するところから考えていきましょう。

　読み取った情報を整理していく場合，低学年では，ワークシート型の学習で括弧に言葉だけを入れるような学習があります。箇条書きにして内容をまとめていく方法や，文として自分なりに要約していく場合もあります。

　いずれの場合でも必要なことが，「自分なりの言葉での言い換え」の基本的な能力です。言葉を入れるだけのわかりきったような作業をしても本当の読解力にはつながりません。文脈を読み取った上での一定のまとまりのある内容で「言い換え」をしていくことが必要なのです。

　この語句のまとまりとしての言い換えのことを**パラフレーズ**とも呼びます。ある表現に「平行＝パラ」になるような「語句のまとまり＝フレーズ」を考えることだからです。この力は，情報を読み取って集積していくときに極め

て重要です。要約をする場合でも，あらすじを考える場合でも，パラフレーズできるかどうかは，その基礎になります。

全国学力・学習状況調査の平成19年度調査では，「ごんは，ひとりぼっちの小ぎつねで，しだのいっぱいしげった森の中に，あなをほってすんでいました」を二文に分けるという問題があったのですが，正答率は57.9%で，この調査では一番悪い部類でした。

中学校でもパラフレーズの力不足は見られるようです。平成15年度教育課程実施状況調査では，

> 桜中学校では，校庭に五十本もの桜が植えられていて，秋から冬にかけて校庭だけではなく周りの道路にもたくさんの葉を落とすので，毎朝，用務主事さんや近所の人が学校の周りの落ち葉を掃いて下さっています。

を，「主語・述語を示す，文の意味がもとの文と変わらない，それぞれの文末表現については他の文に合わせて書く」という三つの条件で三つの文に分ける問題で，正答は33.6%とかなり低い水準になっています（中2対象）。

一文を二文でわけたり，その逆をしたりというようにして，自在に言い換えられるような力は，情報を集積するための最も基本になる操作です。こうした力をつけ，最終的には要約の力をつけるまでにしておきたいところです。

なお，指導する場合，「言い換え」ですから，もちろんきまった「答え」は無い場合もあります。一言一句同じでなくても，要素としてポイントをおさえてあれば正解なので，その基準をしっかり考えておく必要があります。特に，少し複雑になって要約的な要素が入る場合，文脈をどうとらえるかで残す情報と捨てる情報が変わってきます。

言うまでもないことですが，キーワードをあぶり出す「キーワード要約」は別として，段落レベルのことなど比較的少ない量を文の形で要約する場合，「**文章要約**」は一種のパラフレーズにもなります。その際，同じ言葉を使うこともありますが，違う言葉で言い換えることも大切です。モデルとしての

「いい要約」「いいパラフレーズ」の例をたくさん出すことも必要でしょう。

2-3 図示化・描画読み・動作化読み

　パラフレーズに関連して，絵を描いたり，図にして登場人物の関係や出来事の関係を整理したりすることも重要な学習活動です。これを広い意味で図示化といいます。

　図示化の代表的なものは，情報の**マッピング**です。書かれていた内容を図として二次元的に整理する方法です。重要な語句や文をもとに，そこで書かれていることや場合によっては自分で思いついた語などを相互の関係に注意しながら線でつないでいきます。ちょうど内容の相互関係が地図のように表されるので，マッピングと呼びます。放射状に広げると蜘蛛の巣（ウェブ）のようになるのでウェビングとも言います。物語文でも説明文でも，その内容を図にしてまとめていくことができます。「書く」学習などでも材料の整理や発想の押し広げに有益です。

　もう一つ，書かれている場面を絵にあらわす**読解描画**も広い意味での図示化です。しかし，これは文字通り，書かれた内容を「絵」にしていく方法です。描画読みと名づけてもよいでしょう。例えば，前述の「鯉のぼり」の歌詞を読み取ることで，どのような様子かを絵にするような読みができます。子どもたちに絵を描かせることで，理解を確かめることもできます。

　このことと関連して，**動作化**ということも読解のあり方を考えるために有効です。例えば文学的な文章である場面があったとします。その場合，どのような動きか，ということを文脈を考えて「動作」としてやってみるのです。例えば，ごんぎつねが入って来たことを知ったとき，兵十はどういう行動をとったかを動作化すると，兵十のごんへの気持ちがよくわかります。

　英国ではドラマという授業がありますが，動作としていかに表すかということは読解でもあり，表現でもあります。学年が上になると，自分をどう提示していくかということにもつながります。ドイツでもこうした解釈における動作化は重要視されているということでした。しっかり行間を読むこと，

そして，それを表現することにつながるからです。

　読解描画や動作化は，子どもたちの得意不得意とも関わりますが，より深く情報を読み取っていくことにもつながりますし，評価の面でも，外面的に確かめられるという長所があります。

2－4　「読む」ことと文脈上の「予想」

　読むことの文脈的言語力を考える上で欠かせないのが，予想ということです。例えば，昔話では，

　　昔むかし，あるところにおじいさんとおばあさんがいました。

のように，お話が展開していくわけですが，この冒頭を読む時，おそらく何も書いていなくても，「おじいさん」と「おばあさん」が夫婦であると予想するのがふつうです。何も情報がない場合に当てはめられる内容をデフォールト値と言いますが，そうした予想をしていくには一般的な知識や生活経験，そして，多くのお話のパターンを常識として知っておくことが必要になってきます。例えば，「昔」という言葉もぼかされているわけですが，この「昔」とはいつごろのことかも大体予想されています。厳密に言えば，このおじいさんとおばあさんは北京原人であった，といった読みも可能性としてはできますが，特別な情報がない限り適切とは言えないでしょう。

　ただし，あくまで予想ですから必要に応じて修正していくことも必要です。例えば，「今はそれぞれ独りで暮らしていますが，二人は若いときからお隣どうしでした」のような文が続くとすると，二人は夫婦という読みは修正しないといけません。

　こうした読みの仕組みを考える上で参考になるのが「台本（スクリプト）」とか「構造化された知識（スキーマ＝枠）」という考え方です。私たちは大体どのような場面でどのようなことをするのか，どのようなことがあるのか，といった台本あるいは枠組のようなものを持っています。いちいちの情報をすべて網羅することは難しいですし，すべてを表現しつくすことはそもそも不可能でしょう。だいたいこういう場面だろうということが予測できること

で，効率的な理解ができるのです。ただし，経験が少ない子どもたちは適切な予測をする力がない場合があるので，パターンを知っていること，読みに従って的確に情報を把握し，柔軟にその予想を修正するということに意識的になる必要があるのです。

▶ 3 物語文の文脈的理解

3-1 物語文の種類

　以下，物語文系の文章の文脈的読解について述べてみたいと思います。物語文系の文章とは，大きく言えば「お話」になっている読み物です。時間進行があって出来事が場面と共に描き出されるタイプの文章です。出来事を構成するのは，状況と人物の設定（主人公など），具体的な場面などです。そして，それを語る「語り」の視点を持っています。通常，出来事とは，何らかの事件の発生と展開という構造も持っています。

　広い意味の物語にはフィクションとノンフィクションがあります。典型的な「物語」とはフィクション（作り話）です。さらにフィクション（作り話）には現実との関わりで，さらに現実系と非現実系に大別できます。前者の現実系のフィクションとは，フィクションではあっても，あたかも本当にあったことのように語るリアル指向のものです。設定としてはリアリティをもたせてあるというタイプで，時代や状況の設定には注意が必要です。「坊っちゃん」など小説類の大半はこのタイプです。このほかに，時代物やＳＦ物などリアルではあるけれど現在の社会から隔たった設定のものもあります。

　なお，後者の非現実系フィクションとは，最初からリアルな設定になっていないお話です。ウサギとタヌキがしゃべったりする物語はこのタイプです。これには，当初は現実世界から途中で非現実世界になるタイプのファンタジー（エブリデーマジック），完全に違う世界を構築するもの（ハイファンタジー）などさまざまなものがあります。民話も多くが非現実的です。非現実のおもしろさに浸る読み方が必要です。

一方，ノンフィクション系物語には，**伝記**，**ルポルタージュ**などがあります。人のことを述べるのが伝記で，事件や状況などを報告するのがルポルタージュです。一部のルポルタージュではエッセイに連続するところもあります。どこかへ行ってその土地のことを述べる場合は**紀行文**と言われます。自分が何かを見つけたといった内容で書かれている場合など，説明文に通じるような解説があることもあります

　ノンフィクション系物語では「本物性」（リアリティ）が命です。その点で５Ｗ１Ｈなどの情報とそれに付随した知識も重要です。どのような事態であったのかということについて，実感を込めて読んでいくことが必要だからです。例えば伝記の場合で言えば，それがどのような時代であったのかといった背景的な知識も必要です。

　ノンフィクションの多くの場合，すでに先行する「事実」があるという書き方ですので，書いていく視点は紹介者としての語り手です。その場合，この語り手は「解説者」になり，挿入的に背景的な事情などを説明する場合もあります。どの部分がどういう位置づけで書かれているのかということに注意しながら読むと，わかりやすい読み方ができます。

3－2　時空，人物の設定

　物語文系の文章の場合，まず押さえておきたいことの一つは「時空の設定」です。「むかしむかし，あるところに」というように紹介される場合もありますが，いきなり個々の場面に入って「設定」を読み解いていくものもあります。例えば戦争の時代設定であれば，その社会状況についての知識も必要になります。

　書いてあっても認識が十分でないために「読み落とし」をすることもあります。例えば「大造じいさんとがん」の話を読むと，「大造じいさん」はおじいさんだと誤解したままの子が少なからずいるようです。しかし，最終版のこの物語の設定では（コラム「複数の本文」参照），「大造じいさん」という名前で呼ばれていても，「残雪」と戦う物語の世界ではまだ「おじいさん」

ではありません。むかしのことを話すという設定の部分に読み落としが発生しないよう注意が必要です。そして，主体的関与として，なぜその設定なのか，ということを考えることが考えられます。

人物設定には，何をしている人か，といったこともあります。例えば「大造じいさんとがん」では「大造じいさん」は生活をかけた狩人であるということは大切なポイントです。同じように鉄砲を持って猟に行くのでも宮沢賢治「注文の多い料理店」のふたりの「紳士」は遊びとしての猟です。

3-3 視点の設定

設定の一種として視点の設定ということもあります。フィクション系物語では，「語りの視点」ということと「登場人物のそれぞれの視点」ということに注意が必要です。語りの視点では，神様のようにさまざまな心中を描き出せる視点がとられることもあります。中立的ナレーターのような外面からの語り手視点がとられることもあります。一方，それぞれの登場人物の視点は違うことがあります。

登場人物にはわかっていないが，読者にはわかっているという視点の違いを物語の中で利用することもありますし，ある人物と別の人物の思いの行き違いなどを視点の違いで描き出されることがあります。芥川龍之介の短編『藪の中』は，人物によってとらえ方が違うというようなおもしろさを利用しています。語り手は時に偏った存在であることもあります。『ごんぎつね』も，ごんと兵十のそれぞれの視点にそって読んでいかないと，そのすれ違いはわかりません。物語のおもしろさの一つは「視点」によって成立しているとも言えます。

視点の設定を考えることを出発点として，例えば「主人公はだれか」とか，「なぜこのような視点なのか」についても必要に応じて考えたいところです。

3-4 出来事の流れ

設定と同じように大切なことが，出来事の流れ（ストーリーライン。特に因果関係に着目した場合プロットとも呼ばれます）です。

そもそも物語系の文章では、一般に、何らかの事件が発生し、一定の展開の後終結します。漫画などでよくあるような、主人公が敵（脅かす存在）と戦うというタイプのものもありますし、恩返しの話、冒険の話、といったタイプのものもあります。「ごんぎつね」でいえば、いたずらの償いとそこでの食い違いということが主な展開になっています。まず、そうした全体としての**構造**を理解することが必要です。話を再び自分なりにまとめ直す（リテリング）場合のポイントもここにあります。

　構造の中で最も注意したいことが、一番中心になる場面（**クライマックス**）です。特に、**転換点**に注意することが考えられます。例えば、「大造じいさんとがん」でも戦ってきた相手である「残雪」をねらった銃をおろすという転換点があります。そうしたその転換点を取り出し、その意味について考えることは読みの鍵になります。人物像（あるいはその行動）に「変化」が生まれることもあります。「ごんぎつね」でも「あんないたずらしなけりゃよかった」というように反省する転換点があります

　大きな転換点だけでなく、物語にはたくさんのエピソードがちりばめられます。全体の流れの中でそれぞれのエピソードを位置づけていくことも読み取りにとって必要なことです。例えば「ごんぎつね」で、「兵十への贈り物」が「鰯売りから盗んだ鰯」から、自分が採ってきた「栗や松茸」へ変化していますが、これは「ごん」の「ぬすっとぎつね」からの脱却でもあり、かえってひどい目にあった兵十へのいっそうの申し訳なさにもつながります。兵十とごんとのすれ違いという本質的な位置づけにもつながります。「これにはどういった意味があるのか」という一段階抽象化した見方から出来事の一つ一つを見ていくことはどのような場合でも必要なことです。

　変化と**無変化**を対照させるというおもしろさがある場合もあります。例えば「モチモチの木」（光村・三年・齋藤隆介）では、臆病な「豆太」が夜中にふもとまで医者様を呼びに行くことができたという本質的な「豆太」の「力」と、それを引き出したじさまへの思い中心に「豆太の変化」が物語ら

れます。しかし，エピローグとして，その事件のあとも，表面的にはしょんべんのためにあいかわらずじさまを起こすという無変化もおもしろいです。

　また，物語に仕組まれた「繰り返し」などもおもしろいところです。出来事としての繰り返しもありますが，幼年むけの場合，「表現の繰り返し」もよくあります。例えば，絵本の『はらぺこあおむし』(エリック・カール)の「(それでも) おなかはぺっこぺこ」や，『おおきなかぶ』(ロシア民話)の「うんとこしょ，どっこいしょ」などです。全く同じ場合と少し変形がある場合があります。水戸黄門の印籠を示す展開のように，「話の流れとしての繰り返し」「道具立ての繰り返し」も見る者にある種の安心感を与えるようで，大衆的な連続ドラマやシリーズ物などにもよく見られます。

3－5　成立背景読み

　設定とも関連するのですが，作者の状況といったものを考えたり，作品ができた社会文化的な背景を考えることで，読みが深まるということがあります。例えば「大造じいさんとがん」が戦争中に書かれた作品であり，ある意味で「正々堂々と戦う」ということに特別な意味があること，などは教材研究の段階では気にしてもいいことです。

　もっとも，作品は作者やそれが書かれた社会状況から独立したものとして読まれるべきだという考え方もあります。そういった状況を知らないからといってその作品が読めないということにはなりません。子どもがどこまでを知っておくべきかは，それぞれの作品の特性に応じて判断したいところです。

3－6　「なぜ」

　このようにして，広い意味での「物語」を読む場合，一つ一つの情報を拾いあげ，関連づけて，部分の文脈的理解を丁寧に積み上げ，相互に関連づけて理解していくことが必要です。より深くそしてより広く合理的な関連づけができるほど，読みは深くなります。その意味で，「なぜ」「どんな意味」という問いかけが特に重要です (このあたりの，書かれた情報内容をなるべく多く，そしてなるべく深く関連づけて把握するという読み方は次章の「主体

的関与」にも関わっています)。読んでいく時に「なぜ〜でしょう」という問いを出してみんなで解いていくようなアプローチもできます。

▶ 4 物語文の主体的読解

4-1 主体的な物語の読み深めとは

　物語の読み方は自由ですが，厳密には，ある意味でより「深い」読み方というのはあります。ここでは，読み手にとっての深さという側面から考えてみたいと思います。

　ひとつのまとまったものとして物語を読む場合，そもそも一番大切なことは「楽しむ」ということです。書かれている様々な要素を理解するのと同時に，書かれたことから組み立てられる「意味」を読み取ることができれば，楽しみはさらに深まります（そのためには書かれていないけれども読み取るべきことについても考える必要もあります）。

　つまり，その読み方をしたことによって，より多くの情報がより明確に関連づけられるならば，それだけ全体について「納得」できるわけです。そのような関連付けができることで，「楽しみ」は深まるのです。「ははん，作者はこういう仕掛けをしているな」というのを見つけることは読みのポイントに関わるのです。もちろん，それは合理的なものでなければなりません。

　教室での学習の場面で，意見を交換するということは，さまざまな要素の有機的関連づけを見つけることにもつながります。いったんこれはこういう話だと納得したつもりでも，他者の読みに触発されることで，より深い読みに到達するということがあるでしょう。もちろん，時を経て読むことで自分の読みが変わるということもよく経験することです。そうした「深い読み」を楽しむためには様々な問いかけ―教師からのものも同級生からのものも含めて―を作っていくということが有益です。

4-2 象徴読み

　作品によっては，何かを象徴しているものとして読むことで読みが広がる

ものもあります。例えば，「やまなし」（宮沢賢治・光村・六年）ですが，あの「いい香りのするやまなし」は何の象徴なのだろう，あの物語は何を象徴しているのだろう，などと議論することが考えられます。これは人それぞれの見方がありますので，多くの場合唯一的な答えを出すことは難しいと言えます。その点で「わからなさ」も大切にしたいと思います。

4-3 主題読み

いわゆる主題とは作者がその作品を書くことで最も主張したいことです。もちろんそれも大切なことですが，作者を中心点として考えるのではなく，読者が何を受け取るのかという，読者を中心点として考えることが必要で，「読者がこの作品から受け取るメッセージ」といったものが主題と言えます。

また，一番の主張といっても，単純なものではなく，いろいろな事柄や考え方から成り立っていることがふつうです。一言で主題として言えるようなことは，一部の寓話としての話を除けばわざわざ物語に仕立てる必要がそもそもないと言えるでしょう。言うまでもなく，「主題」を「教訓」のように位置づけ，いわば道徳教材として読むような「教訓読み」は，確かに一つの読み方ですが作品の読み方としてベストの読み方とは言えません。複眼的に物語りの面白さを広げていくような読みの経験，そして，その中での「新たな意味づけの発見」を大切にしたいものです。

4-4 「この後」読み，「もし」読み

この後，どうなるか，ということや，もしこうなっていたらどうなるか，といったことも，読み手の主体的関与として重要なポイントです。こうした議論によって，作品で書かれている内容をさらに深く考えることもあります。そこでも，「なぜ」そう考えるのかということが大切です。ぜひ考えたことを書いたり話し合ったりしたいものです。

4-5 音声から読み深める（音声読み）

最後に，どう音読・朗読するかで読みが深まることもあります（音声読み）。文脈的理解によって特定の読み方をする場合もありますし，読み方に

主体的な判断が関わる場合もあるので，ここで取り上げます。
　次は，イントネーションに関わります。

> マサエは，ふと思い出して，台所のお母さんをよびました。
> 「お母さん，わたしのスキーぐつ，かわいてる。あした，学校でスキーの日だよ。」
> お母さんが，水音を立てながら答えました。
> 「おや，あしだったの。それじゃ，もう一度見てごらん。（後略）」
> 　　　　　　　　　　（『わらぐつの中の神様』杉みき子・光村・五下）

　ここでは，「かわいてる」の部分は「かわいてる？」のように疑問文で読む必要があります。文脈から疑問文だということがわかるからです。
　意味に応じてイントネーションは変わるので，特に教師はイントネーションに注意が必要です。音読をする場合も，意味を考えることによって読み方を考え，そして読みを深めていくようにしたいものです。
　読み方に選択肢がある場合もあります。例えば，『ごんぎつね』（新美南吉・各社・4年）の最後の場面に，
　　「ごん，お前だったのか，いつも，くりをくれたのは」
と兵十が言う場面があります。この場面で，「お前だったのか？」を上げて読むと，尋ねるような印象になります。たとえば，ごんと兵十は互いに理解し合えないわけですが，このごんの最期の局面で「尋ね」と「頷きの答え」というやりとりがようやく成立したという解釈になります。一方，下げて納得するように読むこともできます。その場合は，「お前だったのか」という文は兵十の納得という意味になります。微妙な違いですが，どちらの読み方をするかによって，意味づけは微妙に違ってくるのです。そうしたイントネーションについて考えることで，その文脈について考え，読み取りを深めることができます。自分はどう音読するのか，その理由はなぜか，といったことをしっかり考えさせることも必要でしょう。

声の大きさも読み深めのきっかけになります。例えば、「大きなかぶ」（光村・1年）では、「うんとこしょ、どっこいしょ」というかけ声が何度も出てきますが、文脈を考えると、その声は同じではないはずです。みんなでがんばって力を合わせて抜けた、ということを考えさせて、自分なりの思いで楽しく音読させたいものです。（音読、朗読については、杉藤美代子・森山卓郎2008『音読・朗読入門』岩波書店をご参照ください。）

▶ 5　説明文系の文章の文脈的理解

5-1　説明文のいろいろ

　広義の説明文型の文章では、情報の伝達が中心になっています。また、全くの虚構としての説明文はふつうありませんし、あったとしても、その書き方としては虚構を前提とはしません。その意味で、事実関係が重要な読み取りのポイントになります。

　どのような説明文でも、読み手がもともと持っていた情報（どんなことを知っていたのか、どのような考え方ができるかなど）と、読んだ後に有している情報との間の差が大きければ大きいほど、読むことの効果があったということができます。最終的には読者がどう点検し、それについての考えをもっていくのかということも大切になりますが（これらは本書では主体的関与と呼ぶ段階です）、その前提として、まず書いてある内容を素朴に読み取り、情報を集積し、抽出し、関連づけるという文脈的理解が必要です。

　広義の説明文としましたが、大別すると**情報伝達文**と**意見文**とにわけられます。書かれた内容の重点が情報の紹介にあるのが狭い意味での説明文、すなわち、情報伝達文です。この中に、事実を報告するものや観察を報告するものもあります。**事実報告文**とか**観察文**などと言われるタイプの文章です。一方、内容の重点が書き手の意見になっているものが意見文です。社説のように明らかに意見を述べる文のほか、推薦文も意見文の一種ですし、読書感想文も意見文の一種と言えます。ただ、何かを説明しながら、最後に少し意

見めいたことが付け加わった構造の説明文もありますし,逆に,意見を述べつつもその中で様々な情報を説明するというタイプの文章もありますので,情報伝達文と意見文の境界の境界は明確ではありません。また,エッセイのような説明文,伝記のような説明文もありますが,その書き方に応じた扱いが必要です。

5-2 キーワードと要約

説明文の読解においては,必要な情報を抽出し,集積し,関連づけることが必要です。具体的な方法としては,重要語や重要文の抽出,各段落の重要文の関連づけによる文章全体の要約,といったことがよくなされます。図示してとらえることも関連します。

そうした場合に問題になるのが,キーワードと呼ばれるような重要語です。これは,具体的な内容に関わる言葉で,その文章に特徴的に表れている言葉です。ですから,キーワードは検索での手がかり(鍵)になる語でもあります。品詞で言えば多くは名詞です。

キーワードはその文章の内容を考える場合に中心となる語ですから,その文章に頻出することが多いと言えます。しかし,出現回数が多くないキーワードもないわけではありません。その場合,キーワードとは,たくさん出現する関連語をつなぐような関係にある語であることが普通です。問題設定の段落やまとめの段落などの重要な段落にはそうしたキーワードの中でも特に中心になる語があることが普通です。内容にもよりますが,キーワードをつなぐことで要約文が書ける,というように,キーワードは要約文にも出現する語です。

要約ですが,箇条書きにポイントをまとめていく方法もありますが,一方で,あえてQ and Aの形で書き直すような方法もあります(Q and A型書き直し)。問いかけには全体の設定に関わる大きなものと解いていく段階での小さなものがあるなど,問いかけとその答えを構造として考えていく必要がありますが,問いと答えというペアでまとめていくことで,書かれている

情報の整理がうまく行く場合があります。

5-3　段落内部の構成—パラグラフライティング，文型，接続表現—

　次に，段落の内部を構造化して読み取ることから考えていきたいと思います。例外もありますが，ふつう，一つの段落には一つのことしか書かれません。そして，多くの場合，説明文の段落内部の構造にも一定の型があります（パラグラフライティングと呼ばれます。パラグラフとは段落のこと。第4章2-2を参照）。

　問題設定の段落の中には，疑問を提示する文があることもあります。その前にまずなぜそのような疑問が出てくるのかという背景を述べる文が先行することが多いのですが，基本的には中心になる疑問文というものがあります。疑問文といっても，本当の疑問文ではなく，説明文でよく使われるのは「だろうか」型の疑問文です。「どうして〜でしょうか」などの形が使われることが多いので，そうした文型に留意させると読解に役立つことがあります。相手から情報を得るのではなく，いわば自分で答えを用意してある疑問文が提示されるのです。

　段落のまとめの文の文末には「〜のです」という形が来ることがよくあります。大きくまとめると，「事情を言えばこういうことだ」とか「これこれという事情がある」といったとらえ方を表す文末です。言うまでもなく「のです」という形は様々な用法で使われますので，単純化することはできませんが，「〜のです」の文か，あるいはその前にある文は大体重要なまとめの文であることがよくあります。「わけです」も同様です。このように文の位置と文末表現に注意すると，まとめる文はどれかということはわかりやすくなります。これは要約の手がかりにもなります。ただし，これらの表現には，理由表現などほかの用法もありますので，単純化は禁物です。

5-4　段落内部でのつなぎことば（接続詞類）の働き

　段落内部でのつなぎことば（接続詞類）も大切です（第2章3-2，第3章5-7，第4章2-3参照）。特に「例えば」のような例示や根拠を説明

する「だから」のような言葉はサポート文でよく使われること，まとめで，「このように」「以上のように」「以上から」といった「まとめ言葉」がよく使われることなどには注意が必要です。

5-5　段落構成

次に段落相互の関係をみてみましょう。多くの場合，最初にどのような事象が問題になるのかということが導入部分で設定され，それについての情報が述べられ，最後にまとめられるという構造が使われます。「はじめ」「なか」「おわり」という構造です。

ただし，実は「はじめ」「なか」「おわり」は形式的に過ぎる側面もあるので注意が必要です。あとにエピローグ（いわばおまけ的な話）がついている場合など，「おわり」をひとくくりにしにくいこともあります。「なか」もその内部の構造が重要な論点で，本論部分での論理をくわしく見るためには単に「なか」というだけでは十分ではありません。

本論の仕組みとしては，並列に情報が整理されている場合もあれば，**問題設定と解決**という形式，**因果関係**のある出来事を述べるという形式，事象とその理由をなぞときするという形式，個別例から一般化をする形式，逆に一般論から例を述べていく形式，そして，それらの混合というように，様々な展開のモデルがあります。

段落相互の関係といっても，全体構造を読む場合，**段落群**としてのまとまりを考える必要があります。ふつう一段落には一つの内容が来るという書き方がなされますが，その段落がいくつか集まることで小さなまとまりができ，それがさらに大きなまとまりのなかに入っている，というような構造をしていることが多いからです。一字を下げる形式段落と意味段落が合致している場合はわかりやすいのですが，段落群としての関係を考えなければならない場合もあり，注意が必要です。

5-6　子どもの段落構成の読み取り能力

では，子どもの段落の読み取り能力はどうなのでしょうか。文章によって

は簡単に構造が読み取れますが，繰り返しがでてきたりしてちょっと関係の読み取りが複雑になると段落相互の関係が読み取れなくなることがあるようです。次は非常に結果が悪いことで話題になった平成20年度の全国学力・学習状況調査の問題（B問題）です。

> 　ぼくは，校内でのけがをなくすために，使った道具をいつも元のとおりにきちんとかたづけておくことが大切だと思う。
> 　先週，そうじのあと，ろうかの曲がり角に置かれたままになっていたバケツにぶつかって転んでしまい，ひざに大きなあざをつくってしまった。使ったバケツがきちんとかたづけてあれば，けがをしなくてすんだと思う。友達の中には，体育の学習で使うハードルの高さを調節するねじがきちんと止められていなかったために，運ぶとき指をはさんでしまった人もいる。
> 　みんなが生活する学校では，いろいろな道具がある。それらがあぶない状態のままになっていると，けがが起きてしまうことがある。つかったものはきちんと後始末をして，安全な状態にしておくことが大切である。そのためには，係や委員会の活動の一つとして，使った道具きちんとかたづけられているかを点検するような取り組みを行うとよいと思う。みんなの学校を安全な場所にしていきたい。

という段落構成で，「１調査した資料をもとにした事実，２自分の意見や提案，３考えたいことや調べようとする課題，４体験をもとにした事実」を当てはめる問題です。ここで「２　４　２」という正解に至った子どもは35.9％でした。わずか３段落の文章での構成を考えるわけですから，もう少し正答率が高くてもいいはずです。文章の構造でサンドイッチ型の成り立ちもあるということも注意しておくといいのではないでしょうか。

5－7　説明文での段落どうしの接続関係

　段落相互の関係でも接続表現は重要な働きをします。ここでも，一定のモ

デルがあることに気づかせておきたいものです。低学年での「まず」,「次に」,「おわりに」のような順序型も大切ですが,中学年以上では,「だから」「しかし」「つまり」のような順接,逆接,言い換えの接続詞も重要視したいところです。「第一に」,「第二に」,「まず」,「次に」のような複数の提示をするタイプにも触れさせたいところです。高学年以上になると,もう少し複雑な展開の接続詞として,「一方」「さて」などの転換系のものや,「ただし」のような注釈系などが挙げられます。様々な複雑な接続関係にも徐々に触れるようにしていきたいものです。例えば,「だから」に対して,順序を逆転させて「これはなぜかと言えば」のような構成になっていることがあるように,関係と順序や位置にも注意が必要です。「これに対して」「その点で」など,対照される表現もあります。接続関係に注意しながら,それぞれの段落の内容をまとめていくことで,文章全体の要約ができます。

5-8 情報伝達型説明文の読解の注意点（報告文, 記録文, 解説文）

　以下, 説明文の種類に応じた読み方についても紙幅の許す範囲で考えてみたいと思います。

　情報伝達型説明文には, 記録文（観察記録文）, 報告文, 解説文など多様なものがあります。記録文は相手意識が明確にない場合もありますが, 一般に報告文や解説文は相手意識のある文章です。報告文は一定の出来事や調査などを報告するもので, 場合によっては相手の一定の知識を前提として書かれていることがあります。解説文は比較的一般的な内容についてのもので相手が持っている知識を前提にしない場合があります。

　情報伝達型説明の文で重要なことは, もちろんその内容です。事態が内容であれば５Ｗ１Ｈが必要なことは言うまでもないことです。概念を内容とするのであればその定義や分類の仕方などをしっかり把握しておくことは言うまでもありません。その意味で, 何のことか, という定義文にも注意が必要です。定義文は多くの場合, 主語を「～とは」というように「とは」「というのは」のような形で述べたり, 「～と呼ぶ」「～という」のように述語に定

義の宣言に関する文が来ることが多く，そうしたてがかりを元に，何のことなのかをはっきりさせる文です。定義に関連させて，何かのカテゴリー（概念などをグループにわける）をたてて分類をする文章もありますが，その場合も，その分類基準と範囲，要素例，例外の扱いなどにも注意が必要です。

先にも述べたことですが，具体例からの一般化といった構造をもっている文章の場合だと，「このように」のような一般化の接続表現や「（以上から）〜と言える」のような判定を表すような文末がよく出てきます。逆に，最初に結論があって，「例えば」のような例示をする場合もあります。

このほか，表現意識など表現の仕方にも注意が必要です。どういった立場で記録したり報告したり解説したりするのかということです。例えば「三回」ということを述べるのでも「三回しか」「三回も」のように取り上げ方が違います。「おもしろいことに」「驚いたことに」のような感想を表す主観的な表現も筆者の立場を読み解く手がかりです。こうした**書き手の表現意識**にも十分な注意が必要でしょう。

5−9　意見文の読解の注意点（意見文，推薦文，鑑賞文）

意見文は，意見が述べられる文ですが，単に意見だけを述べることにはなりません。ふつう，「①なにが問題か（事情），②それについての意見，③根拠」といったことが必要ですし，「④おわりのまとめ」なども書かれていることが多いものです。どういう構造で書かれているのか，その論理は何かを考えることが必要です。

意見の内容はさまざまです。「〜しなければならない」などというのも意見ですが，「〜はよいことだ」というのも意見です。「〜とは〜ということだ」という位置づけや特徴づけを述べる文も，その主張内容が事実として共有されていることでない場合はやはり意見というべきことがあります。

ですから，**推薦文**も意見文に位置づけられます。しかし，さらに注意が必要なのは，推薦には相手があるということと，基本的に「よいところを主張する」内容になっているということです。厳密に言えば，「この部分は推薦

できない」という推薦文も存在すると考える必要があります。いずれも多くは価値づけの理由を読み取ることに重点を置いて読むことがふつうでしょう。また，相手意識が比較的強いので，さまざまな表現上の工夫がなされていることにも注意が必要です。誰にとって，どういうところがよいか，それはなぜか，ということとその表現上の工夫をおさえて読む必要があります。

　鑑賞文も大きくは同じく意見文に位置づけられますが，鑑賞文には相手意識といったものはそれほど強くはありません。また，どういうところがよいか，といった価値意識はないこともあります。推薦文と違い，きらいだという鑑賞もあっていいからです。読書感想文も広い意味では鑑賞文に位置づけられるでしょう。

　一般に意見文を読む場合，ただ無批判にその意見を受け入れるのではなく，それについて自分がどう考えるかも大切にしたいところです。

▶ 6　説明系の文章における主体的関与

6-1　既にある知識の利用と「広げる読み」

　主体的に説明文を読むということはどういうことでしょうか。ここでは，「すでにある知識の利用と，その知識がどう改変されるか」ということが大切です。どんな説明文でも，すべてが全く新しい内容であればさっぱり理解できないものです。語彙的な問題もありますが，関連することについての知識がないことには，自分なりに情報を位置づけられないのです。そこで，すでにある知識との関連づけが，主体化においては重要なポイントと言えます。

　読みの方法としては，自分が知っていたことは何か，自分が知りたかったことは何か，そして，何を新たに知ったか，を整理することや，問いと答えに置き換えるような，内容の整理と編集をすることなどが挙げられます。

　また，自分が知ったことを，一つの枠組として自分の知識にあるほかの事象に「当てはめて考える」ことも重要です。特に説明の論理を点検する場合，自分なりに例を考え，本当に例外がないのか，分類は十分に明確か，といっ

たことを考える必要があるのです。これは「次につなげる読み」と言うこともできます。読むことによって得た「枠組」「考え方」を他の様々な経験の中で位置づけ，適用し，応用していくことが重要なのです。その点で関わるのがアナロジー（類比）です。こういうことがある，だから，同様に，こういうことが考えられるのではないか，といった「思考」の適用と言い換えてもいいでしょう。「例えば〜の場合はどうだろう」という文型で自分の思いを考えながら読んでいくことが考えられます（後述「拡張よみ」）。

6－2　主体的検証の読み：「批判的読み」（クリティカル・リーディング）

　もう一つ忘れてはならないのが，批判的検討ということです。こうした判断の筋道を考えるには，定義，範囲はどうか，論理の前提は正しいか，根拠となる事実は何か，論理関係に説得力はあるか，例外はないか，頻度など量的な問題はどうかといったことなど，様々な観点からの点検をしなければなりません。検証したり，自分なりに深く意味づけを考えたりすることは，最終的に社会で生きていくための「情報の活用」につながります。

　「正確に理解する読解」であっても，なんでも鵜呑みにするような読み方をするならば，きちんとした読み方とは言えません。「議論は十分に納得できるものか」「足りない情報は何か」というように批判的に（クリティカルに）読むことも必要です。ただし，逆に，これは単に何でもかんでも批判するということではありません。検証しつつ，受け入れるべきところは受け入れる読み方も大切です。

　では，批判的思考（クリティカル・シンキング）ということについて，もう少し見ていきましょう。ここでまず重要なのは論理の点検です。実は，私たちの日常生活ではこの点検が必要な議論がたくさんあります。例えば，健康関係の広告などで，ある食品や薬によって，ある病気が治ったといった「体験談」が掲載されていることがあります。しかし，その体験が事実であったとして，それがその病気の治療に本当に効果があったということになるという保障はありません。ほかの要因もあったかもしれないからです。もし

かするとその食品を食べなくても治っていた可能性だってあります。仮にその食品のおかげで治ったということが事実であったとしても，その人は一万人に一例程度の特異例である可能性もあるでしょう。ある主張がある場合に，本当にそれを信じていいかどうかをしっかり評価・検討するような考え方（批判的思考）は「だまされない」ためにも，そして，「有意義な情報をきちんとキャッチする」ためにも大切なことです。

　情報伝達型説明文すなわち，記録文，報告文，解説文などでは，何が問題となっているか，そして，それがどう解決されているか，という対応をはっきりさせておく必要があります。そこでの観点としては，定義は何か，分類基準は何か，議論の範囲や前提は何か，例として挙げられているのは何か，例外の扱いはどうか，議論の前提は適切か，といったことがあります。

　意見文の場合も，その主張とその理由を整理して読み取ることで，推論とその前提のチェックが必要です。前提とされていることは何か，例外はないか，議論の範囲はどこまでか，理由と主張とは論理的につながっているか，自分の経験と照らし合わせて納得できることか，など，多様な観点からの点検が必要です。「事実と意見」の違いもよく議論されますが，「事実」とはみんなが共有できる情報，「意見」とは個人に帰属し，みんなが前提とできない情報のことだと整理するとわかりやすくなります。

6-3　「書かれていないがわかること」

　さらに，検証しながら読むということには，単に書かれたことを理解するだけでなく，書かれた内容から合理的な推論を重ねていくことも含まれます。例えば，『ありの行列』（光村・3年）という説明文がありますが，本文では，なぜありの行列ができるのかが，行列の観察を中心に，ありの体のしくみも関連させて述べられています。もちろん，書かれてあることの理解は重要です。しかし，例えば，なぜえさがなくなったら行列は消えるのか，など，直接には書かれていないことを自分なりに推論してみることも重要です。その際，ありが出す液が蒸発しやすい，ということなどを読み取っておき，それ

をもとに，どういうメカニズムでありの行列が消えていくかも，考えさせたいところです。

　書いてあることを落とさないことも必要ですが，それだけではなく，表面的には書かれていないことでも，どうなのか，なぜなのか，を考えることは必要なのです。こうしたことを考えていく際には，「この考え方によれば」という発展・応用の文型が利用できます。

6-4　反応としてどう返していくか

　次に，読解した内容を読み手が主体的にどう受け取って，それに対してどう返していくか，すなわち，どんな意見や感想を持つかをアウトプットとして出していくことについても考えたいと思います。いろいろな授業実践などですでに進められていることだとは思いますが，次にいくつかのタイプをまとめておきましょう。

(1)　「へええ」読み

　情報伝達文の場合，「自分が知らなかったことは何か，そこで知ったことは何か」を整理することがポイントになります。ちょうど，「ふーん」「へええ」というようにそこで知ったことは何かをまとめる読み方です。

　単に言葉としてではなく，「自分の実感や経験」にひきあてて理解するということを大切にしながら，読み手として，今までの思いや考えがどう変わったかを整理していきます。「今まで→読んだ後」というように自分の気づきを意識化するのです。さらに，読んだ後で，不思議に思ったこと，まだ疑問だと思うこと，当然だと思ったことなど，それに対する感想をひきだすことなども考えられます（疑問読み）。

(2)　「例えば」読み

　説明文によっては「見方」が一般化できるものとして提示されていることがあります。動物の赤ちゃんの育ち方とその背景，とか，自動車の形と働きの関係，くちばしの働きとその形というように，その文章での見方を「一つの考え方の型」として使っていくというものです。その見方で言えばこうい

うこともある，とか，このようなものも同じ例である，あるいは，これは例外ではないか，といった視点で，読んだ情報を「自分にとっての情報」として整理していくことが重要です。「例えば」読みとでも言えましょう。

(3) 拡張読み

「例えば」読みに関連するのですが，あるところで書かれている考え方を利用して他の場合について考えていくという読み方もあります。例えば鳥のくちばしと食べ物を学習すると，動物と走り方の関係，動物のしっぽの働きの形の関係など，「関係のあり方」を考えることにもつながります。「考え方」として他への応用ができるのです。これを「拡張読み」と呼びましょう。このような考え方を使って別の場合はどうか考えてみよう，というように読みや考えを広げられるようになれば，思考法の広がりにもなるのです。

(4) 「賛成・反対」読み

意見文に対する反応の場合，一番単純なのは「賛成か反対かといった意見表明とその理由」という**賛否判断読み**です。理由を言う場合にも複数のことを取り上げるようにできればなおいいことはいうまでもありません。これにはある種の型から入ると書きやすいでしょう。「私はその意見に賛成です。理由は～」のような初歩的なタイプから，「私はその意見を読んで同じ意見のところと違う意見のところがありました。賛成するのは～，違うと思うのは，～」のような型です。これに「第一に，第二に」という整理など，さまざまな発展形があります。

(5) 疑問読み

読む段階で，疑問文を活用することはとても大切なことです。これには「なぜ読み」があります。「なぜ」そういえるのかを検証していく読み方です。その「なぜ」に答えられる場合も，その「なぜ」が残る場合もあります。また，前提としていることへの問いかけも大切です。

▶ 7 その他の文種

7-1 様々なジャンル

　煩雑さを避けて，ここでは仮にまとめて「その他」として扱っていますが，物語や説明文以外にも様々な文章の種類があります。

　大きく分類すれば，**随筆類**，**詩や俳句**，**短歌**といった**韻文類**，広告やちらし，ポスターのような**実用テクスト類**，個人性の強い**手紙文**，そして，表やグラフのような**非連続的なテクスト**，新聞や雑誌記事のように，写真や絵などと一体となった文章など，多様なジャンルがあります。

　もちろん，それぞれまったく性質を異にするものであり，個別の議論が必要です。それぞれのジャンルによって，擬人法，韻，対句などの技巧，くりかえし，視点，とらえ方，時間構造，文体やリズム，絵や図表など他の情報との関係，など様々なことがあります。

7-2　俳句を例にした表現の考察：ブランク法，順序入れ替え法

　「伝統的言語文化」の重要性も指摘されていますので，ここでは，俳句を例にその文脈的意味の把握を考えてみたいと思います。俳句の鑑賞をする場合，最初から全体を知った上で解釈するのもいいのですが，**ブランク法**，すなわち，言葉を隠す空白（ブランク）を作って読ませる方法が海外でも日本でもよくやられています。これによって，どのような言葉が来るかを予想させ，原作での言葉の選び方を鑑賞するのです。例えば，

　　　[　　　　]へ店より林檎あふれをり　　　　橋本多佳子

のようにあえて空白に入る言葉を考させた上で，「星空」が入るということを示すと，子どもたちはこの取り合わせのおもしろさと，美しい言葉の発想に改めて気づくことができるのではないでしょうか。

　もちろん，句の解釈の広がりをそのまま楽しめる句もあります。

　　　三月の甘納豆のうふふふふ　　　　坪内稔典

　さて，**順序入れ替え法**も表現の可能性を考える方法です。例えば，

> 水ゆれて鳳凰堂へ蛇の首　　　　阿波野青畝
> 蛇の首鳳凰堂へ水ゆれて

という句を比べさせてみます。すると、「水ゆれて」から始まるという順序になることで、句のもつ発見の順序性がでてくることなどが鑑賞できます。これは短いながらも一つの比べ読みになっています。

ちなみに、この句の場合、「鳳凰堂へ」の「へ」という一字の働きのおかげで、鳳凰堂へ向かっての移動という意味が読み取れますし、「鳳凰堂（＝聖のイメージ）」「蛇（＝邪悪なイメージ、生き物としての生々しさ）」というように言葉としての連想に注意し、その取り合わせがもつ意味を考えることも句の意味を考えるステップになります。言葉の一つ一つを取り上げて全体を読んでいくことはとても大切なことで、この基盤を作るのが前章で述べた基盤的言語力です。

▶ 8　主体化としての読書の広がり

8-1　主体的読書活動

　最後に、読書とのつながりにも少し触れておきたいと思います。広い意味での読書の拡大を、ここでは「主体的な読書活動」と呼びたいと思います。読んだことがらや興味をもったことがらについて図書館で調べたり、おもしろそうな文学作品を手にとってみたり、といった広い意味での読書活動がここに位置づけられます。インターネットで様々な情報に触れるのも、今日的な意味で考えれば、やはり読書にあてはまります。これも読解をめぐる主体的な反応の形成と言えるからです。

　図書館の利用、読書の交流、分担しての調べ読みなど、そもそもの読む対象の選定とそれに関わる情報交換ということは欠かせません。

　また、コンピュータを利用しての検索なども主体的な読書のしかたとしてしっかり教育していく必要があります。データ引用のマナー、信頼性につい

ての基本的知識などに関する諸注意も必要です。

8－2　スキャニング（探し読み）とスキミング（あらまし読み）

　さて，読み方という点でふれておきたいのがスキャニング，スキミングです。どちらも「ざっと読み」ですが，スキャニングとは，何がどこに書いてあるかなどをおおまかに探す読み方で「探し読み」と言えます。目次を読むことなどもこれに入ります。これによって，重点をおいて読むべきところはどこか，などを明らかにします。

　スキミングとは，実際に内容をまとめていく読み方で，いわば「あらまし読み」です。詳しく読む前に，大体どういうことかの概略を得ておくと，より効率的に読めます。大意を読み取る点でスキミングの方が少し難しくなります。必要に応じてスキャニングやスキミングをすることも主体的な「読み」の技術です。

　ただ，これまでも述べてきたように，国語の授業で言えば，しっかり読んでいくこと，すなわち，精読がやはり「読む」ことの基本と言えます。本章でこれまで見てきた批判的な読み方などはこれに当たります。（森山　卓郎）

▶研究課題

1　「注意一秒，けが一生」というコピーの技巧は何でしょう。
2　次の文章の主張は納得できますか。クリティカルに分析してみて下さい。

> 　鯨が減ってきたのは日本人のせいである。日本人は捕鯨船で鯨をとっていた。日本人は鯨が好きで，今でも鯨を食べている。現に私の知っている日本人は時々居酒屋で鯨を食べると言っている。

📝 コラム　複数の本文

　一つの作品に，本文が一つだけとは限りません。「大造じいさんとがん」には，ごく大きく分けて二つの本文があります。初出誌「少年倶楽部」（昭和16年1月）に掲載された，常体・前書きなしの本文と，二年後，椋鳩十の作品集『動物ども』に収録された敬体・前書きありの本文です。『動物ども』への収録に際して作者が大幅に改稿したためです。前書きの有無で「大造じいさん」の人物像は変わってきますし，語りの位置づけも違ってきます。作品集でも，例えば理論社の『椋鳩十の本　山の太郎熊』（第十巻）では初出本文，ポプラ社の『椋鳩十全集1　月の輪グマ』では『動物ども』本文に従っています。教科書も，どの全集，作品集を底本とするかで本文が異なることになります。どの本文を選ぶかは，時としてとても難しい問題です。

　『動物ども』本文には，明らかに改稿ミスと思える不自然な表現が見られます。例えば「残雪は，この沼地にあつまる雁の頭領らしい。」という一文は，初出，『動物ども』，上記の二社の作品集のすべてにおいて，この通りの一文です。しかし，文末を敬体にするのであれば，『動物ども』では，「頭領らしいのです。」「頭領のようです。」などと書くべきではないでしょうか。実際に少し後の「沼地のうちでもそこが一番気にいりの場所となつたらしい。」（初出）は，文末が「場所となつたやうでありました。」（『動物ども』）と，敬体に書き変えられています。

　教材としての教科書では，こういった不自然な表現をどのように扱うべきなのでしょうか。敬体本文に従う多くの教科書では，「頭領らしい。」の部分を，出典本文にかかわらず「頭領らしい，なかなかりこうなやつで」と表記し，次の文とつなげることで不自然さを回避しています。作者の指示もあってのことと思われますが，教材として作品との最上の出会いを作るために，本文の一字一句を吟味してあることがわかります。

（奥野久美子）

第4章 書くこと

◀◀◀ この章のポイント ▶▶▶

「書くこと」は総合的な言語活動です。まず主体的関与としての「発想」、文脈的言語力としての「構成」「記述」、そして、再び主体的関与としての「推敲」と「交流」に整理して考えてみましょう。

▶ 1 「書くこと」と主体的関与―「書く内容」について考えること

1－1 「発想」の指導のしにくさ

「書くこと」は総合的な言語活動です。特に、最初の段階で書く内容を作ることが必要になります。その意味で「創造的」な言語活動でもあります。

しかし、「書く」ためにその内容を思いつくことが必要だということがわかっていても、その指導は困難です。自分なりの思いをもたせるということには、なかなか直接的な指導が届きにくいからです。

1－2 出発点としての「記憶」

書く題材に直結する「思い」には大別して「記憶」と「今の考え」の二つのタイプがあります。

低学年での**経験報告文**、**観察記録文**、中学年以降でのいわゆる生活作文、高学年での**随筆**などでは「記憶」が内容の中心です。経験した出来事を記憶する場合、エピソード記憶と呼ばれる記憶を使うことになりますが、経験したときにある程度意識にのぼっていないことは思い出すことができません。例えば体験した出来事や印象などをぼんやりとしか記憶していない場合、生活作文などで体験を書こうとしても、そもそも書く材料はぼんやりとしか浮かんでこないないということになるのです。

そのために必要なことは，最初に経験するときに，「後でこういうことを書こう」という「目（耳）」を持つことです。いったん記憶を整理したり，ちょっと思い出す作業をして意識づけをしておくと，あとで記憶の検索がしやすくなります。もちろん，運動会や遠足では心いっぱいに楽しめばいいのですが，ひと段落ついたときに，「こんなことがおもしろかったな」と思い出す機会を持たせるのも一つの方法です。

高学年以降で「随筆」を書こうとする場合も，あらかじめどんなことをネタにしようかな，というネタ集めへの意識づけをする必要があります（実は大変難しいことですが）。どんなことがネタになるのかのモデルもあった方がいいでしょう。そのためにいろいろな随筆を読んでおくことが有益です。

1－3　記録とメモ

これをもう少しはっきりした形で意識し，行動するのが「記録」です。少し学年が上になってからのことですが，さらに取材ということにもつながります（取材とは，何らかの目的があって，積極的に情報を集めることです）。

取材して記録する場合，いわゆる5W1Hだけでなく，その背後にある**様々な知識や考え方の前提，因果関係や理由，感じ**といった，ありとあらゆるものが対象になります。

記録をとるためには，ノートやメモの練習が有効です。最初は重要な言葉の羅列でもかまいませんので，まずは字に書いて残すことに抵抗感を感じないようにさせることが必要です。耳で聞いて書くということに特化した聴写練習もしたいものです。キーワード型メモから複数のキーワードの関係を示す図示化メモへと進めば，複雑なこともきちんと押さえられるようになります。このほか，書く内容を短冊にして取捨選択したり，順序を整理する方法もよく知られています。

1－4　意見を「考える」技法――二観点法とシミュレーション法――

さて，「思い」のもう一つの中心は「今の考え」です。意見や感想を書く場合，どうすれば「考え」が浮かぶのでしょうか。これは難しい問題です。

そこで，発想の補助になるものとして，ここでは「二観点法」を提案したいと思います。
　二観点法とは，「価値（善し悪し）」の観点と「認識（真偽）」の観点にあてはめて，問題に対する自分の態度を考えるというものです。大きくわけて，私たちの「もののとらえ方」（ある物事に対する態度の取り方）は，「よいことか，わるいこと（必要のないこと）か，どちらでもよいことか」といった「価値（善し悪し）」の観点と，「ただしいか，まちがいか，わからないか」といった「認識（真偽）」の観点とから成り立っています。これは言語学での文の類型に関する議論から説明できることです。
　そこで，ある問題について，このいずれかの軸をあてはめると自分の考えが整理しやすくなります。まず，自分がどう「思う」かを整理します。この二つの観点を両方使うこともありますが，ふつう，いずれかで十分です。
　こうして自分の位置づけを考えた後に，「その理由」を考えます。理由を考えるというのは難しいことですが，これには自分の経験を思い出したり，シミュレーションをしたりすることが有効です（シミュレーション法）。すなわち，ある問題について「頭の中でその事態を想像してみる」のです。「そうなると何が問題か」，「何がよいことか」，「どうなるか」などということが整理できます。
　このような手順を踏むと，命題（本当か間違いかがはっきりできるような内容の文。プロポジション）についての意見は比較的簡単に作り出せます。例えば「この世に幽霊はいる。」についての意見は「そうだ」「ちがう」「わからない」のいずれか一つになるはずです。また，「学校で制服を着なければならない」についての意見は，「着なければならない（よいことだ）」「着なければならないと決める必要はない」「どちらでもよい」のいずれかです。こうして基本的な自分の思いを整理したあと，その理由を考えていきます。
　もっともすべての意見文や論説文がこの二観点で解決できるわけではありません。何かの解決を思いつくとか，「何」系の疑問に答える，といった場

合は,「思いつき」という発見的な思考が関わるので少し話が違ってきます。また, 何かを見つけるような発想の文でも,「態度の表明」ではありませんので, こうした二観点で考えるわけにはいきません。しかし,「自分の意見なんてなかなか思い浮かばない」と途方に暮れている子どもたちには有効でわかりやすい支援になるのではないでしょうか。

▶ 2 「書くこと」に共通する文脈的言語力

2-1 「書く」ことと「書き言葉」

「書く」場合, 全体でどのようなことを述べていくかという文脈の構成は,「使う言葉のスタイル」に関連しています。多くの場合,「書く」ためには書くための言葉, すなわち, 書き言葉が必要です。つまり, 子どもたちが何かを正式に書こうとするとき, 日常生活の言葉から「書き言葉」に移行しなければならないのです。これは「基盤的言語力」としての語彙や文体操作なども深く関わることです。

書き言葉とは, 簡単に言えば, 言葉づかいとして「整った」形です。すなわち, 主語や述語の省略はあまりありませんし, 格助詞などもきちんと表現されなければなりません。逆に一部の終助詞はおさえられます。順序も整える必要があります。使われる語も違っていて,「まじ」「しねーよ」「じゃあ」のようなくだけた言葉は使えません。こうした「書き言葉への翻訳」ということができないときちんとした文章にはならないのです(第2章参照)。

2-2 段落意識

文脈をしっかり構成して書くためには段落意識が必要です。段落とはいくつかの文によってできる意味のひとまとまりのことです。基本的に一つの段落には一つの事柄を書くことになっていますが, 例外も多く見られます。

生活作文などでは, 段落は内容のタイプや場面によって構成されることがよくあります。明らかに内容が変わる場合や場面が大きく転換するところも含めて続けて書いておいて, 段落を分けるとするとどこに切れ目があるか,

ということをさがす練習をすることが考えられます。

　説明文などの論理的な内容の場合，段落の書き方にはパラグラフライティングと呼ばれる一定の方法があります。まず，段落のはじめに，その段落で最も表現したい文を書きます。これはトピックセンテンス（主張の文）と呼ばれます。いきなり細かく書くのではなく，概略を書くのです。その後に続くのがトピックセンテンスを支えるサポーティングセンテンス（根拠の文）です。具体例や理由などの内容がこれに当たります。サポーティングセンテンスはふつう複数あります。そして，最後にコンクルーディングセンテンス（まとめ文・略されることもある）で段落をまとめます。こうすることで，何が言いたいのか，根拠は何か，が整理して書けます。

2－3　文脈を構成する接続表現

　段落内部もそうですが，段落相互の関係を組み立てて文脈を構成していく場合の大きな手がかりになるのが接続表現（つなぎことば）です。第2章で簡単な特性を述べましたが，ここでは「書く」ことに関連づけてさらに考えていきたいと思います。

(1) 順接と逆接

　一般に接続詞の学習としてよく取り上げられるのは「だから」「しかし」のようなものでしょう。確かにこれはとても大切な接続詞です。「がんばった。{だから・しかし｝二等だった」のように，単に接続するだけではなく，そこに関係を構築するところが接続詞のおもしろいところだからです。

　特に理由の表現を考える場合，順接の接続詞は重要です。「というのは」のように，主張のあとでその理由を言う表現もあります（話し言葉では「だって」ですが，書き言葉では使えないので注意が必要です）。

(2) 「それから」文（「そして」文）

　しかし，中には接続詞の使いすぎという問題もあります。例えば，小学校低（中）学年児で，「そして」「それから」などの添加の接続詞をそのま何度も重出させる文章を書く段階があります。「それから文」あるいは「そして

文」と呼ばれています。この背景には，順序だてて一定の量の内容を述べられるようになったということがあります。ただ，出来事のレベルでの単純な羅列で終わっていては，いい作文とは言えません。

　では，どうすれば，「それから」文からの脱却ができるのでしょうか。その方法の一つが，線路の「ポイント切り替え」としての接続詞の利用です。例えば，出来事を述べる文では，「すると，〜」などの接続詞を使うと，「**場面語り**」が生まれやすくなります。ある視点で「どうなるかな」というような書き方をすることになるからです。「すると」のような形を使って，そのときのことをもう少し詳しく書いてごらん，というように方向づけをするのも一つの方法なのです。同様に，「同時に」「しばらくして」のような時間関係を述べる表現も便利です。これらの接続詞をストックとしてもっておけば，**場面の時間的解像度を高くして，活き活きとした描写ができるようになります**。

(3) 理由説明の重要性

　さらに，意見などを述べる文でも，「なぜかと言えば」といった理由を述べる関係の接続詞が大切です。「なぜそう思ったかと言えば」など，様々なバリエーションがあります。理由に焦点を当てることで背景が述べられ，内容が深まるのです。理由を述べる場合でも，「第一に，第二に」などの順序表現でリスト的に要素を増やしていけるようにもしたいものです。

(4) 付加表現

　特に意見文や観察文などですが，ちょっと違うことを付加したいということがあります。そのような場合は，「なお」「また」などの追加表現も使えるようにすると，関連して述べることを付加しやすくなります。大きく対照的に述べる場合には「一方」などがあります。

(5) 説明をする接続詞

　説明文の場合，ぜひ使いたいのは「例えば」です。**具体例を述べることで説明に厚みがでます**。具体例によってイメージが明確にできます。

　文章の最後では，「このように」「こうして」などのまとめの接続詞も使え

るようにさせたいところです。「以上のように」のような形もあります。こうしたまとまりは低学年や中学年はもちろん、高学年でも難しい場合がありますが、パターンを与えるのも一つの方法です。

　【主張　→なぜかと言えば、→例えば、→このように、→まとめると】のような型はその一例です。

　このほか、まとめでは、「すなわち」「つまり」も大切にしたい接続詞です。基本的には同じ事を言い換えるという働きがあるのですが、まとめ直す場合によく使われます。高学年になればこうしたまとめ直しがある作文が書けるようにしていきたいものです。「わかりやすく言えば」「言い換えると」のような言葉でも働きは同じです。こうした言葉が使えるということは読み手意識ができているということ、すなわち、読み手がこう読むだろうという予想ができ、それに対応できるようになっているということでもあります。

　こうした接続表現は読むことと関連させ、説明文などで出てきたものをメモし、自分なりの「接続表現ブック」あるいは「接続カード集」にしておくといいでしょう。もちろん代表的なものを教室に貼っておくことも有効です。

▶ 3　書くことと文種

　「書く」ことの指導は、どういう内容の文章かによって違いがあります。ここでは「書くこと」に直結する文脈の構成について具体的な文種に即して考えてみたいと思います。

3－1　観察記録文

　低学年では、順序だてて物事を述べることが必要とされています。時間経過的な観察記録文などでは、時間的経過に応じて述べていくことで順序ができます。ここでは、つなぎ言葉も大切ですが、主語と述語の関係を確認しておくといいと思われます。最初に何があったのか、次にどうしたのか、ということがポイントになります。主語の選択ができれば出来事の描写はずっとやりやすくなります。同じ出来事でも、語順の調整や「〜られる」の使用な

どで，様々な表現の仕方ができます。

では時間的経過がない場合，**描写の順序性**はどうなっているのでしょうか。ここで大切なことの一つが，色，形，音，におい，といった「観点」です。わかりやすい例として，特に五感を働かせることを観察の最初に意識化すると，「色は〜」「手ざわりは〜」「形は〜」というように書くことが整理できます。もちろん，見た様子でも，「上から見ると〜」「横から見ると〜」のような観察の方向などいろいろな取り上げ方があります。作文例を取り上げて，「この作文はわかりやすいなあ。どういう見方をしているのか，いっしょに考えてみよう」のように分析観点を意識的に取り上げることが有効です。

もう一つが**観察対象の切り分け**です。絵や写真では全体を一度にとることができますが，言葉で記述する場合には，線条化が必要です。そこで重要になるのが，部分の構成です。例えば朝顔の場合，「根，花，葉っぱ」というように「部分」にわけて書くことができます。「どの部分が〜」のように見方を整理していくこともできます。

この時，わかりやすく書くには，「粗→精」の順序が理想的です。まず全体を示すことで位置関係がわかるし，予測もできるようになるのです。細かく描写していく場合，比喩も利用します。「〜のように」を使ってみよう，というように，文型として示すことが考えられます。

3－2　意見文・説明文

意見文の最も基本的な型の一つは，

　　【問題（紹介）→意見→理由や根拠→まとめ（展望や意見の再掲）】

といったものです。これは普段話をする場合にも意識しておくといいことです（第5章話型参照）。

この最初の部分に，「**考えるための前提条件**」，「**問題の切り分け**（どういうことかを整理する）」，「**概念の定義**」などを加える場合もあります。また，「まとめ」の前に，「**予想される反論とそれへの回答**」を加えても説得力が出てきます。

それぞれの説明では，引用ということも必要です。特に，もとの意見を批判する場合や，根拠となる情報を提示する場合などに引用がなされるからです。高学年以上では，どこからの引用なのか，原著者はだれなのか，書誌はどう書くのかなど，書き方（かぎ括弧で前後を示す，自分の地の文との境界で一行ずつ空ける，引用文の部分を二字ほど落とす，など）にも注意しつつ，それについての考えを展開する練習をしたいものです。

　なお，小さなことですが，意見文などの文章を書く場合，文体によって受ける印象が違います。例えば，「〜だ」ではなく，「〜である」のような論説調の文体を使うことも一つの方法です。

3－3　手紙文，お知らせ文などの実用文

　実用的な文の場合はそれぞれのフォーマット（書式）があります。お知らせならば挨拶と必要な情報というように書くべき内容は決まってきます。手紙の場合，相手によって大きく書き方が違ってきます。しっかりした手紙の場合には，やはりフォーマットが重要です。

　お知らせの文の例で言えば，例えば

　　【挨拶→知らせる趣旨→挨拶→「記」としての必要な情報】

といったことがポイントになります。

　お礼の手紙の例で言えば，例えば

　　【頭語→時候の挨拶→お礼など→感想など→再びお礼と挨拶→結語】

といった形を学ぶ必要があります。いずれも相手意識が関わるので，基盤的言語力としての，敬語（学年が小さい場合には丁寧語，学年が上がれば尊敬語，さらにできれば謙譲語）についての知識と運用力が大切です。

　ちなみに，日本では，江戸時代ごろ，『往来物』という種類の本があり，寺子屋などで使われていました。これはいわば手紙の書き方の本で，手紙の中にいろいろな言葉が入っていて，語彙や文字の学習にもなっていました。手紙というのは社会ですぐに必要になりますから，実用的な国語教育だったとも言えるでしょう。手紙は現代でも大切にしたい文種の一つです。

3-4　生活作文

いわゆる生活作文は、書きやすいようで文脈構成面でも難しい作文です。基本的な構造は、ポイントとなる出来事を中心に、考えたことや見つけたことを述べるというものです。事件の展開のようなものもきちんと書けるといいでしょう。

しかし、多くの場合、「動物園に行きました。熊がいました。面白かったです」のような「出来事→感情」という単純な構造になりがちです。前述の「場面の時間的解像度」を高くすることが必要です。

思いを書く場合も同様です。単に「面白い」とか「残念だ」といった感情表現だけのことであればそれ以上のふくらみはできません。しかし、「不思議に思ったこと」「なるほどと思ったこと」というように、「内容のある感情」を書くようにすれば、その内容、そして、その理由、というように「考えること」がふくらみます。生活作文では「感じること」も大切ですが、それだけではなく、「どう考えるか」ということがポイントとなります。

感じる場合でも、そこに変化があるとぐっと作品はおもしろくなります。「最初はAだと思っていたが、Bということを知って、Aだと思わなくなった。Cと思うようになった」といった構造です。

3-5　文学的な文章

物語、詩、短歌や俳句といった文学的文章の指導は難しいところです。それぞれいろいろなスタイルがありますし、何を目指すかという点でもいろいろな考え方があるからです。

ただ、物語の場合ならば「書き出し」を設定するとかなり書きやすくなります。詩や短歌、俳句の場合も何らかの制約を決めておく、というようにした方が書きやすいようです。例えば「秋」という言葉を使うとか、「まるで」という言葉を使う、というようにいろいろな方法が考えられるでしょう。技法に意識的になることも重要です（第3章）。

4 「書く」ことが終わってからの主体的関与

4-1 「推敲」の語源となった故事が示唆すること

「推敲」という言葉は，唐の賈島という詩人が詩の言葉に迷っていて，高官で詩人でもあった韓愈の行列にうっかりぶちあたった，という故事から来ています。その句とは「僧は推す月下の門」とするか「僧は敲く月下の門」とするのかでした。韓愈は「敲く」がいいとアドバイスしたそうです。この故事から，文章を直すことを「推敲」と言います。

このことは二つのことを示唆しています。一つは，本来の「推敲」とは書き間違いを直したりするものではなく，どの表現がいいかを考えることであったということです。この場合は詩ですから，意味はもちろん音のことや言葉の伝統的な使い方なども深く考えなければなりません。不注意を直すのも推敲ですが，よりよい表現にするためにしっかり考えることも推敲であるということを確認しておく必要があります。

もう一つ，この故事は，書いたものをもとに交流することにもつながっています。書いたものを読んでもらったり，書きたいことについて意見を聞くことで，よりよい文章になるのです。どちらの表現がよいのか，自分はその文章をどう読むのか，といったことをお互いに交流することで，「書く」立場だけでなく，「読まれる」立場になります。そして，仲間の文章をさらに「読む」立場になります。こうして自分なりに書いたことを様々に交流することで，メタ認知の力も高まり，自分なりの表現の工夫もでき，書くことに対する反省的なものの見方もできるようになっていきます。

4-2 子どもたちの実態

さて，推敲には，「自分の考えについて考える」自己対象化の認知（メタ認知）が必要になります。しかし，この力は十分とは言えません。国立教育研究所『学校カリキュラムの改善に関する総合的研究』『中学校調査報告書』(1997) によれば，小学校（4，5，6年）276人，中学校（1，2年）277

人の意見文の発表原稿では，次のような問題点があったということです。

	小学校	中学校	(%)
主述の不完全な対応	26	27	
助詞の不適切な用法	18	11	
不必要に長い文	11	12	
わかりにくい文のある回答	78	74	

このことと関連するのが，小学校6年生の平成20年全国学力調査の結果です。次の「下書き」を書き直すという課題設定です。以下，引用します。

①私は六年生として学校のためになるような仕事や活動に積極的に取り組もうと思った。②しかし，具体的にどんなことをしたらよいのかなやんでしまった。③そこで，先生に相談すると，「あなたの好きなことが，学校のためにつながるとよいですね。」と話してくださったので，花がすきなところを生かせばよいと気づいたので，花いっぱいのきれいな学校にしようと思った。

この文章を書き直すという課題の選択肢は以下の通りです。
1　②の文には「だれが」という主語がぬけているから主語となる「先生」を書き足したほうがよい。
2　③の文は「〜ので」が続いて長くなり，分かりにくいから，一文を分けて書いたほうがよい。
3　③の文の「」の部分は，先生が話した言葉だから，「はなしてくださった」まで「」に入れたほうがよい。
4　①から③までの文は，述語が「〜した」になっているから，「です」や「ます」も使った方がよい。

この正解は2なのですが，正答率はわずか34%でした。「〜ので」という節を重ねた文は表現としていい表現とは言えないのですが，このことをきちんと把握できてはいないのです。一方，4を選んだ子どもが51%だったのです

が，丁寧語かどうかということは授業などで比較的よくとりあげられることなので，それにいわば「ひかれる」かたちで誤答が増えているとも考えられます。日常使う言葉についてよりよい表現かどうかをきちんと反省する学習が必要です。

4-3　不整表現の傾向と対策

　不整表現が生まれる原因にはいろいろなことが考えられます。第一は，話し言葉と書き言葉という言語コードの違いです。我々の日常の話し言葉のコミュニケーションは必ずしも完全な文で行われているわけではありません。普段の話し言葉は，そのまま文字化すると，省略，言いさし，文構成プランの変更，などが非常に多いのです。聞き手はそれを補って聞きます。

　もう一つは，「思い」を言語表現として「文字」に定着させるまでの時間差の問題です。話し言葉では思ったことをほとんど時間をおかずに表現でき，修正もその場でできます。そのため，短期記憶への負担はさほど大きくないのです。それに比べ，書き言葉の場合，物理的に鉛筆を動かすといった行動にまで変換しなければならず，時間差ができます。書いているうちに，前に書いた内容との係り受け関係を間違ってしまう，ということがよくあるのです。

　こうした不整表現への対策としては，だらだら長くしない，パラフレーズをする，という練習が有効です。そして，交流することで，「書く自分」を「読まれる自分」へと意識づけていくことが大切です。しかし，本当に大切なことは書くことを好きになることです。励ましも大切です。（森山　卓郎）

▶ 研究課題

1　子どもたちが書きやすい論説テーマについて考えて下さい。
2　本書のそれぞれの節や段落について，パラグラフライティングという観点から点検してみて下さい。

コラム　NIE（教育における新聞活用）でこんな力がつく

　NIE（Newspaper In Education）とは，教育に新聞を活用する活動のことで，現在日本を含む世界60ヶ国以上で実施されています。

　PISAの2000年度の調査では，新聞をよく読んでいる子ほど読解力の得点が高く，また全国学力・学習状況調査では，「新聞などのニュースに関心がある」と答えた子ほど，全てにおいて成績が良いという相関が見られました。

　では，なぜNIEで学力が上がるのでしょうか？　それは，新聞を読むことで基礎学力である語彙や漢字の知識はもちろん，NIEの多彩な活動を通して文章を読む力，書く力，そして思考力，問題解決力などがつくからです。例えば，「新聞の読み比べ」では，同じテーマについて立場の異なる複数紙をそれぞれの違いに注意して読みます。その中で，考えを模索しながら自らの意見を導き出し，文章としてまとめます。この過程の中で，事実と意見の区別も学習できます。また，記事をクリティカル（批判的）に読むことで，情報社会を生きるのに必要なメディアリテラシーも備わります。

　このようにNIEでは，日常生活や社会生活で生きてはたらく力がつき，NIE学習は21世紀を支える子どもたちに大変有効です。また新聞は最新の情報の宝庫で，子どもの関心の高い記事がたくさん載っているのも魅力です。

★NIEの学習例「―新聞を使って学ぼう―」
【低学年】・「写真とお話をしよう」（写真にふき出しをつくる）
　　　　　・「見出しと写真をぴったんこ」（見出しに合う写真を選ぶ）
【中学年】・「記事に見出しをつけよう」（記事に合う見出しを考える）
　　　　　・「4コマ漫画からお話をつくろう」
【高学年】・「喜怒哀楽をさがそう」（新聞から喜怒哀楽のどれかにあたる記事をさがし，5W1Hを抜き出し，記事の要約と感想を書く）
　　　　　・「投稿に挑戦しよう」（関心のある記事について投稿する）
　　　　　・「記事の読みくらべをしよう」（複数紙での比較）

（神崎　友子）

第5章 「話すこと」・「聞くこと」

◁◁◁ この章のポイント ▷▷▷

「話すこと」「聞くこと」の基盤は音声言語力です。しかし，狭い意味での音声の知識だけでなく，態度も大切ですし，文型，話型，応答や質問の仕方などいくつかの技能も重要です。

▶ 1 「話すこと」・「聞くこと」と主体的関与

1－1 話すこと・聞くことの基盤にある「信頼感」

　話したり聞いたりすることの根本にあるのは，二つの意味での「主体的関与」です。一つは，自分なりの思いを持つということです。話す場合，当然のことながら話す内容を自分で思いつくことが必要です。聞く場合でも，聞いた後で主体的に考えたり行動したりすることが必要です。

　また，もう一つ，体勢づくりということもあります。しっかり話をしたり，落ち着いて聞いたりできるような「心構え」ができている，周りの状況や相手の気持ちに配慮できる，といったことも話し合いの前提です。「話す」ことができるという「心構え」，しっかりと話を受け止めることができるという「心構え」，の両方が「主体的関与」として考えられます。

　こうした「主体的関与」は，「話すこと」「聞くこと」の根底をなしています。自分の思いをもち，お互いに認め合うことが重要なのです。

　しかし，このことはなかなか難しいことでもあります。「相手を認める」ということもそうですが，その前提として「自分で自分を認める（自尊感情）」ということもあるからです。まずは自分が認められて初めて，自発的，創造的な自己実現ができるようになるものです。

この点で，「マズローの三角形」と呼ばれるものも参考になるかもしれません。これは欲求に段階があるという考え方で，底辺に，生理的欲求があり，順次，安全の欲求，親しい人がある，人と関わりたいという欲求，自分が認められたいという欲求，というように高次の欲求がある，という考え方です。頂点には，自己実現の欲求があります。いわば「欲求」のピラミッドのような考え方です。

　教育において，生理的欲求や安全への欲求が満たされているということは一応の前提ですが，その次の段階は留意が必要です。まず学級集団の仲間になっている，ということが充足されていなければ，自分を認めて欲しいとがんばるような気持ちは出てこないでしょう。そして，創造的にがんばるような思いが出てくるには，そのベースに自尊感情ということも大切になると思われます。そうした意味で，まず，一人一人の「自分」意識を高め，認め合い，話し合いができる学級づくり，仲間づくりをしていくことが必要です。

1－2　安心して話し合いができる場づくり

　話し合いができる環境として，「心」の問題があるということを述べましたが，これは，班で話し合いをさせる場合の環境づくりにも関わってきます。

　一つは内面的なことです。日本の社会ではしばしば同調圧力ということがあります。違う意見が言いにくいのです。クラスづくりとして，まず，クラスで意見の「違い」をよいこととして認めるという雰囲気を作ることが重要です。少しでも違うことはオリジナリティがあるということですし，それを尊重することでみんなが発言しやすくなります。

　もう一つは外的なことで，話し合いをする班を小さくするということです。ふつう，班を作るとき，6人くらいのグループにするのと4人ないしそれ以下のグループにする方法があるようです。このうち，皆が積極的に関われるような環境づくりとしては，4人以下のグループがいいようです。机が直接接するのでみんなが話し合いに参加しやすくなります。司会者を立てることもできますし，二人ずつで話し合うこともできます。特に注意したいのはグ

ループの話し合いでの「お客さん」をつくらないということです（ちなみに，机の移動の班構成はさっとやれば30秒以内でできます）。できるだけ机を動かすなどして，相手の顔を自然な姿勢で見られることも大切です。

　なお，話し合いではいろいろな道具立てにも配慮したいものです。みんなで中央に置いた紙に付せん紙を貼っていく，あるいはカードに意見を書いて並べてみる，など，様々な方法があります。道具も大切な「場」作りです。

1－3　アサーション

　アサーションとかアサーティブネスといった用語を聞くことがありますが，「アサート assert」とは「主張する」という意味の英語です。

　例えば，自分が何かを待っていて，その列に割り込んだ人があった場合，「いやだな」「いけないな」と思っていても，それを言わないとするときちんと主張したことにはなりません。まず，自分なりにきちんと主張するということも必要です。しかし，一方で，「この野郎！」というようにけんか腰になってしまうのも問題でしょう。相手は単にうっかりしていただけかもしれません。あまり攻撃的になりすぎないように，また，遠慮しすぎないように，適切に主張するということを意識するのです。

　もちろん，あえて主張しないこともあります。「気にしないよ」と思うのも自分の自由です。主張するかどうか，どう主張するか，といったことをきちんと意識できると，あとで後悔することも少なくなるでしょう。

　授業では，特に「みんなに言う」という段階で物怖じしてしまうことがあるので注意が必要です。みんなにきちんと自分の思いを伝えられるよう，精神的な励ましも教師には求められます。一人一人の思いを想像する想像力が「話す・聞く」の場では必要になります。

1－4　しっかり聞けること

　最後に，「聞く」心構えも大切です。偏見にとらわれないで，相手を人として尊重する思いがあるならば，ふつうはきちんと聞くことができるものです。ただし，ちょっと気持ちが先走ることもありますし，ぼんやりしたりう

っかりしたりしていて，相手の話を聞けない，ということもよくあります。

　低学年の場合，特に「言葉の宛名性」ということに気をつける必要があります。この言葉は誰に対しての言葉なのか，ということを判断するのです。コミュニケーションの輪はゆるやかであることもあります。柔軟に会話に参加するなど，自分なりの主体性をもって伝えるようにしたいものです。

　よく「落ち着いて最後まで話を聞こう」という指導がなされることがあります。たしかにこれは大切なことです。最後まで聞けない子どもが多いからです。しかし，単に最後まで待つだけが必要なのではありません。場合によっては，促すこと，助け船を出すこと，あるいはこちらから言葉を引き出すことも必要になるでしょう。主体的に，そして，柔軟に話し合いができるように指導していくことがあくまで最も大切なことです。

▶ 2　「話すこと」の文脈的言語力

2-1　話すタイミングの調整

　まず，話し合いの場合に特に問題になるのが，話す**タイミング**の調整です。私たちの会話では，ふつう同時に二人の人が話し続けることはありません。お互いに聞きあうことができないからです。そこで，話す順番をどう取るか，その方法は何かということに留意することが必要になります。日常的な会話では，区切りのいいところでちょっと声を重ねたり（オーバーラッピング），間（ポーズ）に声を出したりして，次に話す人の順番が調整されています。

　教室での授業の場合は，さらに，教師が全体の進行を管理しますので，手を挙げて話をする許可を得るようなことも必要になります。少し学年が進むと，グループで話し合いをすることもありますが，そうした場合もタイミングの調整は重要です。これができないと，生理的に声が出せても，会話の場で話をするタイミングがつかめず，話したいことが言えなかったり，逆に，相手の話に割り込んでしまったりしてしまうからです。そこで，話し合いを組織化することが考えられますが，これが司会による進行の管理です（次節

で取り上げます）。このように，まず，いつ，どのように話すか，ということはきちんと文脈を把握した上で考える必要があります。

2－2　文型

　話し合いをしていくとき，わかりにくい話をわかりやすい話にするためにはどうしたらいいのでしょうか。

　まず一つ大切なことは，長いだらだら文を言わないということです。特に，日本語では，曖昧な文末で終わることがあります。そのこと自体は決していつも悪いことだとは言えないのですが，わかりやすい話をしていくときには障害になることがあります。

　まず，何の話をするかの概略を最初に言うようにすると焦点が絞れます。よく子どもは「私は」から始めてしまいがちですが，「これから〜の話をします」のようにまずは前置きを作ると構成の意識化ができます。

　次に，一つ一つの文を短く言うようにすることも大切です。「〜です。〜ました。」のような文末の言葉を使うように意識づけると文を短くすることができます。その点で主語と述語の対応という指導はこういった場合に有効でしょう。

　一つ一つの文は文脈の中で位置づけられている，という意識も大切です。一つ一つの文を，特にその前との関係に配慮しながら話をしていくと，ある程度まとまりができます。その場合，つなぎ言葉（接続詞）の使い方に注意する必要があります。

　実は，日本語の話し言葉では，注釈的な「〜が」や，曖昧な論理関係の「〜で」などの形が使われることがよくあります。そういった表現がかえっていいという場合もありますが，まとまった話をしようとする場合，論理関係が曖昧なまま次に続けると，だらだらとした続き方になるので注意が必要です。このように整理した話し方をするには，第3章第2節で述べたように，文をいろいろに言い換えること（パラフレーズ）の力が有効です。口で話すだけでもいいので，短い文に言い換えるようなゲーム（短文言い換えゲーム

とでも呼びましょう）も有効です。短い文を意識できるようになると、多くの場合、わかりやすい話し方ができるようになります。そして、いったん短くまとめられる力がつくと、必要に応じて長い文にした場合でも、「わかりやすい長い文」を話せるようになるものです。

2-3　話型

「文型」とよく似ていて違うのが「話型」です。「発言の型」と言ってもいいものです。特に、授業で考えを発表するとき、話型の指導をすると有効なことがあります。

　　①私は〜と思います。

　　②〜だからです。

のような型、すなわち、主張とその根拠を述べる、というタイプがもっとも簡単なパターンです。

　もう少し複雑になると、

　　①〜さんの意見に賛成・反対・付け加え・質問です。

　　②意見や疑問など

のような、前の発言との関連づけをするものや、

　　①私は〜と思います。

　　②理由は二つあります。一つ目は、〜、二つ目は〜、

　　③だから、私は〜と思うのです。

のように理由を複数言ったり、終わりに、「まとめの文」を付け加えたりするパターンもあります。

　ほかにも様々なパターンがあります。こうした発言の型をつくることは、低学年や中学年などできちんとした発言ができるようになるために有効です。

　ただし、極端にパターン化してしまうと、表面的な言葉だけを取り上げた空虚な発言になったり、紋切り型の発言になったり、あるいは内容に合致していないことを無理矢理つなげたりして、お互いに深め合うことがしにくくなる可能性もあります。特に学年が上になってくると杓子定規に表面的な表

現をパターン化するのではなく、その内容のポイントをおさえるようにしていきたいものです。いわば型から入って型を出ていくようなことが望ましいと言えるでしょう。

2-4 公的発話（パブリック・スピーキング）

基盤的な言語力とも関わるのですが、文脈を構成する際には、文体（スタイル）を調整することも有益です。例えば、「なんでだよ。」のような日常的なスタイルではなく、「どうしてですか。」のようにきちんとした公的な場に適合した言葉遣いをすることが必要です。教師の教室での発話でも、場合によっては、同じ場でもどういう言葉として発言しているかを、こうした文体によって示すこともできます。

教師の教室での発話では、「公的発話」として丁寧語で話す部分と、「私的注釈」や「特定の個人への発話」として丁寧語で話さない部分との両方が見られることがあります。この場合、教師はスタイルを使い分けることで、話の仕方の位置づけを区別するモデルになっています。

2-5 構成

ある程度まとまった話をしていく場合、重要なことは構成です。特に一人が長く話をする場合、文脈の流れを考えた構成がしっかりしている必要があります。

「話す」場合に一番おさえておきたいのは、「最初にポイントを言う」ということです。ちょうど新聞の大きな記事の書き方が逆三角形構造をしているように、すなわち、最初に全体を述べてからあとで詳しく述べるように、大枠をまとめてから細かい話をする方がわかりやすいのです。

学年が上になると、ポイントの整理、自分が言おうとしていることの言い換え、注釈など、様々な段階での「編集」もできるようにしていきたいところです。「どういうことかといえば」のような表現や「もう一度言うと」のような表現、そして、場合によって「強調したいのは」なども大切な形です。

発言の準備として、必要に応じてメモ（手控え）を作っておくと、言うべ

き内容を落とさないように注意できます。アナウンス用原稿を作ることも一つの段階として意味はありますが，最終的には「アナウンス用原稿」とは違い，ポイントだけを書くように注意が必要です。箇条書きなどの整理をするメモの方法を教え，慣れさせておきたいものです。

2－6　話すことのノンバーバルコミュニケーション

振りや手振り，笑顔などの表情，「言葉以外のコミュニケーション」を「ノンバーバルコミュニケーション」と呼びます。距離の取り方や位置関係などもコミュニケーションにとって大切な要素です。

話すことに関わるノンバーバルコミュニケーションとして必要なことは，視線と身振りです。適宜相手の目を見て話ができるようになると説得力が増します。特に相手が複数ある場合には特に留意が必要でしょう。「アイコンタクト eye contact」という言葉もよく使われます。スピーチの身振りでは，腕の振り方，顔の動かし方，など様々なこともあります。黒板に書いたことを示すようなことも重要な要素です。

しかし，それ以外に，日常の身振りとして，例えば謝る場合には頭を下げるとか，挨拶する場合には会釈するなどといった身振りも大切にしたいものです。なお，外国と日本で身振りが違うこともあります。例えば「いいえ」を表す時に手を体や顔の横で横に振るような仕草をすることがありますが，欧米の人には「バイバイ」にしか見えないということがあるようです。

▶ 3　「聞くこと」の文脈的言語力

3－1　聞く

文脈を構成するという観点から聞く場合に重点を置きたいのは，全体の関連づけをどうするかという問題です。

相手がどういう立場なのか，それがどう表れているのか，を整理しながら聞くことが必要です。簡単に整理すると，「読むこと」や「書くこと」にも共通して，相手の立場，主張の根拠，事実などの共有しておくべき情報の集

積といったことが大切です。当然事実と意見の区分にも注意が必要でしょう。

　何らかのエピソード的な事柄の場合も，５Ｗ１Ｈに従って話のまとまりをつけていくことが必要です。再話，つまり，教師がお話などを読んで聞かせて，その話をまとめ直すような訓練も有効です。

３－２　「聞く力」として大切な「応答」

　学習指導要領では「尋ねたり応答したりすること」という事柄が挙げられています。実は応答は質問と対になるだけではありません。私たちは，普通に話を聞く中でも，情報の既知，未知に関するサインを応答として出しているからです。

　例えば，次の場合，「本当!?」か「うん」かで，初めて知ったか知っていたかという，聞き手の情報の持ち方が違うことになります。

　　　「太郎がけがをしたよ」→「本当!?」・「うん」

　このように，「聞く」ことは単なる受動的行為ではありません。いつも反応を返していかないといけないのです。

　同様に，例えば「なるほど」は**情報の導入**（新情報の自己知識への位置づけ）を表し，「確かに」は別意見の受け入れを表します。その点で，これらの形式を使ってきちんと応答ができているかどうかを見ることで，相手の話が適切に理解できているかどうかを評価する手がかりになります。

　また，知っていたかどうかということは別に，「聞いていますよ」という表示（**聞き取り表示**）としてうなずいたり相づちを打ったりすることも必要です。不自然なほどに強調する必要はありませんが，適切な区切りで相づちの言葉を入れたりうなずいたりすることは円滑な話し合いにとって大切なことです。話し手も相手の反応を考えながら話をする必要があります。

３－３　メモ力

　この点でつながるのが，メモをとる力，そして，ノートを書く力です。これについては様々な指導方法がありますが，黒板を写すのではなく，聞きながらメモをとるようにするにはそのための訓練も必要です（手控えに対して

「聞き書きのメモ」と名づけることができます)。

　この力をつけるには，まず集中して聞く事が必要です。例えば地図を利用して相手に道案内をしたり聞き取りクイズをしたりする方法があります。

　次に必要なことが，ポイントは何かを考えることです。お互いのメモを見せ合い，どのようなメモがいいのかを話し合うような活動なども有益でしょう。何を重要なポイントと考えるかには，聞く人の関心の持ち方も深く関わっています。

3-4　確かめる，ただす

　中学年以降で特に重要視したいのが，しっかり質問するという力です。質問ができるということは，自分の中で「わかったこと」「わからないこと」が整理できているということです。

　　何とおっしゃいましたか。聞き取れなかったのでもう一度言って下さい。

のような伝達段階での質問もありますが，大切なのは，

　　なぜそう言えるのですか。

といった**根拠の質問**，

　　例を挙げるとどのようなことがありますか。

という**例示の質問**，

　　あなたのおっしゃる〜とはどういうことですか。

のような**定義に関する質問**，

　　〜ということと〜ということはどういう関係ですか
　　まとめることはできますか。

のような**関連づけやまとめの質問**（お願い），などです。これ以外に，もっとも内容に即した質問ができればなおよいでしょう。

3-5　聞くことのノンバーバルコミュニケーション

　聞き取り表示をする「うなづき」は，声ではなく，動きです。先に，コミュニケーションでは，うなづきなどの身振りや手振り，笑顔などの表情，「言葉以外のコミュニケーション」すなわち「ノンバーバルコミュニケーシ

ョン」が大切だということを述べました。特に「聞くこと」の教育において大切なのは，視線すなわちアイコンタクトと頷きなどのサインです。

　話を聞く場合も相手の目を見て聞く，ということを習慣づけたいものです。もっとも，目を見ると言っても文化によってその注視時間には違いがあります。たとえば，イギリスやアメリカなどの伝統的な文化では相手の目をしっかり見て話すことが一般的ですが，日本ではあまり相手の目をみつめたままでの話はされないようです（それでも時々は相手を見る必要はあります）。

　頷いたり，笑ったりというように，会話を進める場合，自分なりの反応を返していくことも大切なポイントです。応答のところで述べたことと関連しています。わからないときに「わからないような顔になる」ことも必要なことで，わかっていないのに頷いたりしてはいけません。

▶ 4　主体的関与と「話し合い」

4−1　「対立を楽しむ会話」や「合意形成の話し合い」

　「話し合い」「話すこと」「聞くこと」で大切なのは，日常的に意見を交換できるということです。いろんな機会に知的な会話が楽しめるようにしたいものです。その場合，考え方の違いを「楽しむ」ことが必要です。よく言われる例ですが，コップに半分の水が入っているとき，「もう半分しかない」というのと「まだ半分ある」というのとは，同じ事に対するとらえ方の違いです。このように，私たち一人一人にとらえ方や考え方があります。私たちはまずそうした違いを楽しめるような心の余裕を持つことが必要です。

　一方，何かを決めようとする場合，いつまでも違いを楽しんでいるわけにもいきません。その場合には，お互いの意見を調整しての**合意形成**をすることが必要です。合意形成に至るまでは，双方の主張を対照させて整理するなどの方法が有効です。最終的には多数決が必要な場合もありますが，いつも安易な多数決にしないような配慮も必要です。

　いろいろな考え方を出し合い，相手の意見をうけとった上で建設的な議論

をしていくことが必要ですが，説得の技術など，様々なことが関わります。

　これまで，日本の国語教育の「話すこと」「聞くこと」の学習では，スピーチやパネルディスカッションなど，特別な「話をする場」がとりあげられがちだったように思われます。もちろんそうしたことも大切ですが，本当に「生きる力」とつながるのは，**葛藤や対立も含めた日常的なコミュニケーションの場**です。**道徳教育との連携**も含めて，「生きて働く力」としての「話すこと」「聞くこと」の力に注意したいところです。

4-2　ディベート

　話し合いの方法についても整理しておきたいと思います。よく議論になるのはディベートです。ディベートとは「討議する」という意味です。ゲーム的要素も入れつつ組織化された「討論」の一種だと言うことができます。通常，二つの立場に別れ，主張と質問，反論を時間を決めて進めていき，最終的にどちらが説得力を持つかを競うゲームです。ですから，「学級崩壊の原因は何か」といったいろいろな要因が考えられてイエスかノーで答えられないようなものはディベートにはなりません。

　本来，「打ち負かす」という語源が関連していて，「討議に勝つ」ということが重視されます。最終的に説得力を競うわけですから，相手の議論が成立しないことを述べたり，矛盾をついたりすることがゲームになっています。しかし，最も大切なことはディベートのための準備と聞くことでしょう。いろいろな資料を調べたりして自分の論を作っていくこと，そして，相手の論拠をしっかりと点検していくこと，がポイントです。このように，論理的に議論を組み立て，一定時間に一定の主張と質問，反論をするわけですが，あくまで勝敗を決める一種のゲームであるという点にディベートの長所と短所があります。小学校でも高学年にならないと難しいですし，ゲームとして楽しむゆとりがないとなかなか成功しにくいものです。方法としては，

　　①肯定側立論　　　　　②否定側立論
　　③肯定側への質問　　　④否定側への質問

⑤否定側反論と結論　　　⑥肯定側反論と結論
という方式や,
　　　①肯定側立論　　　②否定側からの質問　　　③フロアからの質問
　　　④否定側立論　　　⑤肯定側からの質問　　　⑥フロアからの質問
　　　⑦否定側総括（反論含む）　　　⑧肯定側総括（反論含む）
といった形で聴衆からの質問が組み入れられた方式もあります。時間はいろいろですが，それぞれのセッションに5〜10分程度が普通だと思われます。高学年以上であればこういう形でのディベートにも挑戦してみるのもいいことかもしれません。

　聴衆は，分析の鋭さ，論理の合理性，根拠の説得力，反論の効果，構成（組織化），話し方（音声的なことやノンバーバルなことも含む）といった観点で評価します。感情的なやりとりや単なる揚げ足取り的言い合いになるのではなく，意味のある，奥行きのある話し合いになるようにする必要があります。特に主張の根拠と論理の整合性には注意が必要です。

4-3　その他の話し合い活動

　話し合いにはほかの方法もありますのでついでに整理しておきます。バズセッション，シンポジウム，パネルディスカッションなどがあります。

　バズセッションとは少人数での討論会です。「バズ」とは蜂がぶんぶんうなることです（ブザーという言葉も同語源）。うるさくいろいろと話し合うという意味です。ふつう，数人でわかれて話をします。終了後代表者がその討論について報告する場合もあります。気軽な討論で，きちんとした順序や時間制限などはふつうありません。

　シンポジウムとは，複数の発表者が発表を行い，その後聴衆からの質疑応答を受けるという形です。連続講演会のようなものを指す場合もあります。

　よく似ているのがパネルディスカッションですが，これは，数人の発表者が司会を中心に行う公開討論を意味します。発表者（パネリスト）は最初に少しまとまった発表のようなものを行うのが普通ですが，その後，お互いに

質問しあったり意見を言い合ったりします。パネリストの討議の後，聴衆からの質問を受け，さらに議論することもよくあります。

4－4　主体的な振り返り

　以上，話すこと，聞くこと，そして，話し合うこと，について，主体的な思いの持ち方から初めてそれぞれの文脈的言語力の構成から話し合いの進め方まで見てきました。

　話し合いをしたあと，自分なりに振り返ることも大切にしたいと思います。家族同志のコミュニケーションでも，学級のやりとりでも，意外にきちんとした論理的な議論を進めることは難しいものです。親しい場合など，特に，相手への批判になってしまうこともありますし，どう決まったのか，なぜか，がうやむやになってしまうことなどもあります。

　話すこと，聞くことは，あまりに日常的なことです。それだけに，お互いに尊重し合える関係で合理的な話し合いができるようにきちんとふりかえりをすることが大切です。

　　　　　　　　　　　　　　　　　　　　　　　　　　　（森山　卓郎）

▶ 研究課題

1　二人一組になって，「お願いすること」にはどんな表現があるかを考えてみましょう。また，ロールプレイでやってみましょう。
2　ヘボン式ローマ字がいいか訓令式ローマ字がいいかなど，何かテーマを決めてディベートをしてみましょう。相手から反論されても感情的にならないような訓練にもなります。
3　2人一組になって話をするとき，あえて頷きをしないとどうでしょうか。
4　メモをもとにスピーチをし，それを聞き取った人のメモと話した人の手控えのメモを比べてみましょう。

コラム 「話し合い」を通して学びを深める授業づくり

　授業における「話し合い」が注目されています。とりわけ国語科では，「伝え合う力の育成」と「話し合いを通した学びの深化」を循環的に展開していくことが大切です。しかし，子ども達が生き生きと話し合いを展開する授業の難しさは，学校現場において多くの教師を悩ませています。「おとなしくて発言が少ない」，「発言がいつも一部の子ばかりに偏ってしまう」，「発言できても，他の子の話をしっかりと聴くことができない」等々，話し合いを促す授業は簡単ではありません。

　ある小学校で，児童の「話し合いに対する意識」について調査を行いました（6年生児童計80名，2008年実施）。その結果，児童には「話すこと」，「聴くこと」に対する意識の違いから4つのタイプに分けられることがわかりました（図1）。

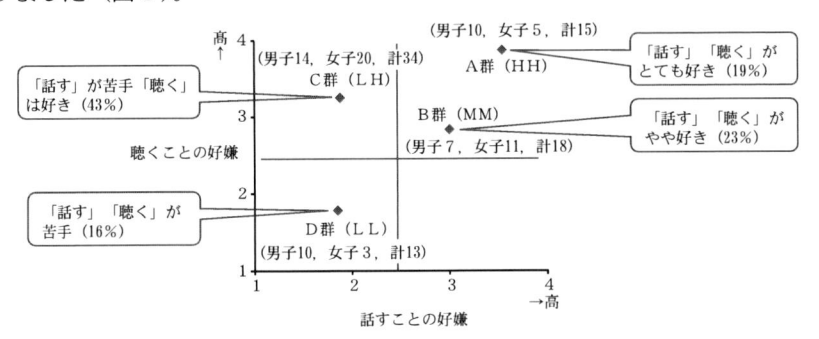

```
                          高↑4
                              |           (男子10, 女子5, 計15)
                              |                A群（HH）
                  (男子14, 女子20, 計34)
「話す」が苦手「聴く」        C群（LH）
は好き（43%）             ◆ 3                              「話す」「聴く」が
                              |        B群（MM）           とても好き（19%）
                聴くことの好嫌 |       (男子7, 女子11, 計18)
                              |                            「話す」「聴く」が
                              |                            やや好き（23%）
「話す」「聴く」が           2
苦手（16%）                   |        D群（LL）
                              |      (男子10, 女子3, 計13)
                              |1
                              1    2    3    4 →高
                                  話すことの好嫌
```

図1　児童の「話し合い」に対する意識のタイプ

　「話すことも聴くこともとても好きな子」が19％なのに対して，「話すことも聴くことも嫌いな子」は16％でした。しかし，「話すことは苦手だが聴くことは好きな子」が43％と最も多くなりました。子どもにとっては，「聴くこと」に比べ「話すこと」の方がハードルが高く，苦手意識を持ちやすいといえます。

　そこで，「話し合い」がうまくできるようになるために，子ども達がどのような問題意識を持っているかを分析しました（複数回答）。その結果，図

2のように，発言への積極性46.3％，自己の意見の形成23.8％と話すことに関わる要因の指摘数が多くなりました。また，話し手を意識した聴き方30.0％，話しやすい人間関係18.8％，話し合いのルール・進め方18.8％も間接的に話しやすさを促すものです。

図2　児童の考える「話し合い」活性化のポイント

このことから，話し合い活動を活性化するためには「話すこと」そのものに対する支援と，それを間接的に支える「聴くこと」に対する支援や話し合いの「環境」に対する支援をバランスよく組み合わせていく必要があると考えられます。具体的には，①話し方，聴き方のスキルを高める指導をベースに，②安心して発言できる学級集団づくり，③参加度を高める小グループやペアによる活動の導入，④話し合い活動に関わるルールや価値観の共有化，⑤自分の考えをしっかりと持たせ，自他の考えを比較・検討させるメタ認知の促進（マッピングの活用，板書や学習プリントの工夫）など，様々な手立てを講じながら，コミュニケーションを通して子ども同士がお互いに高めあえる授業をじっくりと醸成していくことが大切です。

余談ですが，児童に，「話し合いの力を高めるためにはどの教科での学習が大切だと思いますか？」と尋ねたところ，「国語の授業」と答えた児童が全体の86.0％にのぼりました。国語科の重要性をしっかりと子ども達は認識しています。

（森山　潤・平井倫子）

第6章 読解（理解）の授業論

◀◀◀ この章のポイント ▶▶▶

子どもが読解に浸るためには，教師が学びのしくみをつくり，学びを深められるしかけをつくらなければなりません。その際にも「基盤的言語力」「文脈的言語力」「主体的関与」という観点が役に立ちます。

▶ 1 「読むこと」の授業のしくみ

1－1 「読むこと」の授業とはどんな授業か

　読解の授業は考える授業でなければなりません。「誰（登場人物）が出てきますか。」や「段落はいくつありますか。」という発問は，見れば分かる発問です。これらの発問によって授業を進めていくこともありますが，見れば分かることを問うだけでは授業は深まりません。考えなければ分からないこと（考えれば分かること）を問うことで，一人一人が学習に取り組み，考えたことを交流させることで，子ども自らが学びをつくっていくのです。教師による「考える過程」へざなうしかけがあってこそ，子どもが読むことを楽しみ，読んで考え，学級で交流し，みんなで分かり，そして自分の考えを見直してさらに深く考える授業になっていくのです。

　「読むこと」の授業であっても，「読むこと」だけで45分を構成するのではなく，「読むこと」を「書くこと」や「話すこと・聞くこと」と関連させて考える授業になるようにしなければなりません。音読を楽しむことや読書に浸ることも，考えること（読解）と関連させて設定したいものです。

　授業においては，学級で意見を出し合って交流することで，一人ではたどり着けなかった読解にたどり着くことができます。それができたとき，子ど

もは学級で考えることの楽しさや尊さを感じるとともに、自身の力をふり返り、次への前向きな姿勢をもつでしょう。集団で学ぶ楽しさを実感し、自尊感情を高めると考えられます。教師も教えることの手応えとやりがいを感じます。そのためにも、考えたことを交流させる「しかけ」をつくらなければなりません。発問だけで読解の授業を展開しようとする場合、よほど質の高い教師の話法がない限り、深い授業にはなりません（第8章1－1参照）。

「読むこと」の授業とは、「基盤的言語力」や「文脈的言語力」を働かせ、一人一人が「主体的関与」をしていくことで自身の考えをもち、その考えを学級で交流し、交流の成果をもう一度自分自身に戻して考えを深めたり高めたりして学びを実感する過程です。「読むこと」のしくみを知り、学びへのしかけをつくってその過程を成立させるのが教師の仕事なのです。

1－2　「読むこと」の授業過程

「読むこと」の授業は三つの過程で組み立てると効果的です。

---
①一人一人が自分の「考え」をもつ。（ひとり学び）
②その「考え」を学級で交流する。（交流学び）
③交流の成果をもう一度自分自身に戻して、考えを深め、高める。（ひとり学び）
---

①のひとり学びの過程は、「学習をつくるために読むこと」「学習を自覚するために話し合うこと」「自身の学習課題をつかむために読むこと」「自身の考えをもつために書くこと」「書いたものを自己評価するために読むこと」で構成します。②の交流学びの過程は「思考を高めるために話し合うこと」、③のひとり学びの過程は「学習をふり返るために読むこと」です。

(1)　学習をつくるために読む―主体的関与・基盤的言語力

①のひとり学びのはじめは、学習材（教材）を知る過程（学習をつくるために読む）であり、目的は学習の開始時の教室の気分を一つにすることです。多くの教室で実践されているように、子どもの音読からはじめるといいでし

ょう。音読の声が響き、その声を聞いている時間はまさに授業のはじまりです。音読の長さにかかわらず、子どもの声は学習の雰囲気をつくります。

　子どもによる音読は、学習場面に動きを与え、本時の学習へと子どもを導きます。ここで声が小さいことを嘆いたり、ざわざわした聞き手を注意したりしたくありません。いい加減な薄い音読ではなく、厚みのある音読で学習の入り口としたいものです。聞いている子どもは、一つ一つの言葉を聞き漏らさないようにすることが大事です。そのためにも、学習規律を徹底したいものです。日常から音読の力をつける繰り返しの学習が必要です。

(2)　学習を自覚するために話し合う―主体的関与

　ひとり学びの次の過程は、学習課題を明確にし、学習計画を立てる過程（学習を自覚するために話し合う）で、単元を通して考えてきた子どものこれまで読解をもとに、教師が本時の学習のまとまりをつくることが目的です。高学年にもなれば、自分たちで学習課題（学習のめあて）を決めることもできますが、その力が十分でない状態ならば、教師が主となって価値ある学習のめあてを設定する方がいいでしょう。これが学びの道標になるからです。

　学習のめあての設定とともに大切なのは45分間の学習計画の確認です。どのような内容の学習を、どのような方法で、どのような時間配分で進めていくのかを共有するのです。詳細な説明は不要ですが、学習指導案の本時の展開のようなものの大体を、学習計画として示すのです。こうすることで、今の学習が何のためのもので次の活動にどのようにつながり、どのようにまとまっていくのかが明確になり、見通しをもった学習になります。

(3)　自身の学習課題をつかむために読む－主体的関与

　次の過程は、学習材に浸る過程（自身の学習課題をつかむために読む）で子どもを考えることにいざなうことが目的の活動です。学習のめあてと計画が明確になったところで、教師が本時の学習部分を読みます。この教師の音読では、学習の範囲の設定と、音読の仕方に注意しなければなりません。

　それまでの学習のつながりや作品の文脈を無視した学習範囲では深い読み

を実現することができませんし，常に冒頭からの詳細な読解を行う必要もありません。取り上げる場面の順番や範囲の量にも配慮したいものです。

　音読の際は，声の大きさや速さだけではなく，間，アクセント，イントネーションなどにも注意が必要です。音声には表情があり，その表情が意味をつくることがあります。二つ以上の読み方（聞こえ方）ができる場合はどちらかの読み方を採用するしかありませんが，その読み方が正解で他方が間違いというわけではありません。一つの読み方しか存在しないと思い込むことは避けたいものです。仮に教師の読み方と子どもの読み方が異なっていても構いません。そのときに，「先生のように読みなさい。」とするのではなく，「あなたはそのように読んだね。そう読むとどんなふうに聞こえますか。先生の読み方だったらどのように聞こえますか。感じ方が違うね。」というように，その違いを読解のきっかけにすればいいのです。音読の違いによって感じ方に違いがあることは子どもにとっても意外で興味があるようです。

　語の繰り返しの効果なども，教師の音読によって意識化させることができます。「百羽のつる」（花岡大学・学校図書・3年）の「すると，たちまち大変なことが，起こりました。前をとんでいた九十九羽のつるが，いっせいに，さっと，下へ下へと落ち始めたのです。」という部分は読点が多く，教師の音読としては腕の見せ所です。読点以外の間にも工夫して音読したところ，それを聞いていた子どもが，「これはよっぽど高いところから落ちたんだなあ。下へ下へって繰り返してあるから高いところからずうっと落ちていたように聞こえる。」という感想を聞かせてくれたことがあります。家庭での音読の宿題も含めて，それまでにも何度も見て読んでいる文章ですが，教師の音読によって新たな気づきがうまれたのです（第3章4節参照）。

(4)　自身の考えをもつために書く―主体的関与から文脈的言語力へ

　次の過程は，テキストを手がかりに書くことを通して考える過程（自身の考えをもつために書く）で，目的は，書くことを通して自分の考えを明確にすることです。授業もここまで進むと，自分の考えを発言したくてうずうず

する子どもが出てきます。その子どもの意欲も大事にしたいのですが、ここで話し合いに入ると、ごく限られた数人の交流だけで終わってしまうことになります。まだ多くの子どもは発話するところまで熟していません。思考が熟していないうちの発話は、思いつきで感覚的なものです。言語的な意味を十分に理解していなかったり、文脈には目もくれないような読みは、互いに交流し合っても浅いもので終わってしまいます。空想の話になってしまったり、合理的ではない話し合いになったりします。「②その「考え」を学級で交流する」ことを充実させるためには、一人一人が自分の考え（読解）をもっていることが必要です。そのためにこの過程では書くのです。

　一人一人が書いたものが授業の後半の話し合うときの有効な手がかりになります。話すことがないのに話し合うことはできません。話したいという考えをもったときにこそ、積極的な挙手による話し合いになるのです。ですから、ここでの「書くこと」は分かったことを書くのではなく、分かるために書くのです。このことは青木幹勇氏が「第三の書く」と名づけた学習と重なります。まだまだ感覚的で断片的な読解の段階だからこそ、とにかく書いてみて自分の考えを自分で見てみるのです。書く内容と書くかたちは教師による設定です。青木氏は、「視写」、「聴写」、「メモ」、「筆答」、「書き抜き」、「書き込み」「書き足し」「書き広げ」、「書き替え」、「書きまとめ」、「寸感・寸評」、「図表・図式・絵画化」などをその方法としてあげています。教師の工夫でさまざまな設定が考えられますが、ここでは２例紹介します。

　一つめの例は、登場人物の会話部分を書き足すことでその場面の様子を想像させようとするものです。「お手紙」（アーノルド＝ローベル・光村図書・２年）では、がま君とかえる君の次のようなやりとりがあります。

「だって、今、ぼく、お手紙をまっているんだもの。」かえる君が言いました。
「でも、来やしないよ。」がま君が言いました。

> 「きっと来るよ。」かえる君が言いました。
> 「だって，ぼくが，きみにお手紙出したんだもの。」
> 「きみが。」がま君が言いました。

　この「だって，ぼくが，きみにお手紙出したんだもの。」の部分だけ会話に続く文がありません。これは会話の書き方の一つですので，子どもは何となくかえる君が言った言葉だと思っていますが，順番だけ見ればがま君の順番になってもおかしくありません。そのように指摘する子どももいます。そこで，「誰がどんなふうに言ったかを前と後ろをよく見て考え，会話に続く部分を書きましょう。」という活動を設定します。実際に子どもが書いたものには「かえる君はつい言ってしまいました。」「かえる君は言ってしまってからしまったと思いました。」「かえる君は自分とは思われないように小さな声で言いました。」などの記述が見られました。会話に続く部分を考えて書くことで，かえる君の人柄を想像するきっかけになったと考えられます。
　二つめの例は図表化することで叙述を基に登場人物の気持ちの変化を想像させようとするものです。『ごんぎつね』（新美南吉・各社・４年）の学習で「ごんぎつねの最後の場面のごんと兵十の動線を想像して二人のすれ違いを考える。」を学習課題にした例です。６の場面にある兵十の声は「ようし。」と「おや。」と「ごん，おまえだったのか，いつも，くりをくれたのは。」です。直線を引き，右端に「ようし。」，左端に「ごん，おまえだったのか，いつも，くりをくれたのは。」と印刷しておいた学習プリントに「おや。」を書き込むのです。右端から左端までの時間を考えて，「おや。」の位置を決めなければなりません。単純に等分して真ん中に書いてしまう子どももいますが，じっくりと考えるとそうではないことに気づきます。「立ち上がる」「火縄銃を取る」「火薬をつめる」「足音をしのばせて近寄る」「ドンとうつ」「兵十がかけよって来る」「うちの中を見る」など，兵十の動きを詳しく読むことによって，「おや。」の位置は左側に動きます。教師が「よく読みなさい。」と

言わなくても、子どもが自ら本文を読んでしまうのです。

　このように、自分の考えをもつための書く時間を設定することが必要です。教師の発問を聞いて直ちに考えをまとめて発表することは難しいことですが、いったん書き言葉で表すことで、自分自身の頭の中を確かめることができます。この時間をつくり、自分の考えを確かめることで、そのあとの交流を深いものにすることができると考えられます。

　指導法に関係しますが、「子どもが書くことを通して考える」時間は教師にとっても有効です。

　第一に、学級の子どもが書くことに取り組む時間は、深く考えられない子どもへの個別指導を行う時間として活用できます。教室には、書くことを思いつかない子どもや、考えても書き出せない子ども、書いていてもまとまっていない子どもがいます。机間指導の際にそれらの子どもに個別指導を行うのです。書く設定が適切であれば（あまりに高度なものや抽象的なもの、書き方が複雑なものはそれ自体を再考するべきです）、書き進められない子どもの書けない原因の傾向はいくつかの類型にまとめられます。ですから、いくつかの個別指導の方法をもっておけば短時間でも指導は可能です。そのためのてびき（書く内容や方法の具体例を示したりきっかけを示したりしたもの）を作成しておけばさらに効果的です。単純に書くスピードが遅い子どももいます。鉛筆の持ち方や姿勢に原因がある場合もありますが（コラム「硬筆」参照）、書くスピードの指導はこの授業中での指導事項ではありませんから、日頃から指導しておく必要があります。参考までに、青木幹勇氏は子どもの視写は、一分間あたり、6学年で30字、4学年で25字、2学年で20字を目指したいとしています。実際にはもう少し多く書けるようになりますが、これを参考にそれぞれの学級の傾向をとらえて日頃の目標にするといいでしょう。書くスピードの傾向が明らかになれば、必要以上の時間をとることがなくなりますから、その後の話し合いの時間が短縮されることもなくなります。

第二に全員の子どもが何を書いているかを把握することができます。机間指導においては書かせるための個別指導だけではなく，個々の子どもの書いている内容や書き方の特徴を見ることが大切です。短時間の観察ですが，子どもがどのような立場で書いているかという大まかな傾向や，どのような情報を取り出しているのかを知ることはできます。考え方の立場を知ることで，このあとの話し合いを進めていく手がかりになります。意図指名の根拠になりますから，子どもの発話を編集（結束させたり再考させたり）することを考えるのに役立ちます。また，子どもが取り出している情報を確認したり，記述のかたちを見ておくことで，板書の整理の仕方を考えるのに役立ちます。指名も板書も，ともすれば行き当たりばったりのことになってしまいますが，この机間指導の時間を活用することでリアルタイムの軌道修正ができるようになります。といっても，書く時間はせいぜい15分程度です。

(5) 書いたものを自己評価するために読む―文脈的言語力・基盤的言語力

　①のひとり学びの最後は，次に続く学習の自覚化を図ることを目的とした自己評価により学習計画を修正する過程（書いたものを自己評価するために読む）です。書くことで自身の考えを確かめたあとは，書いたものの自己評価をすることが大事です。分かるために書いたものですから文としては不完全なものが多いと考えられますが，時間を確保して赤鉛筆で自身の書いたものを見直させます。学習習慣として定着すれば，この自己評価（見直し）の時間は子どもにとって楽しい時間になるようです。取り出した情報の訂正や交換，文の結合や切り離し，文末表現の整理，主語の入れ替えなどが行われ，まさに次の交流の下準備といったものです。その際，話し合いの軸を曖昧にしないためにも，板書に示してある学習のめあてや計画と重ねて点検させ，何のために書いたものを見直しているのかを確認させることが大切です。

　ここまでが，「①一人一人が自分の「考え」をもつ過程」であり，前半のひとり学びです。途中に学級で交流したり，ペアの学習形態を取り入れることもあるでしょうが，基本的には教師と個人とで学習をつくります。

(6)　思考を高めるために話し合う—文脈的言語力・主体的関与

　次の過程は，子どもの「学ぼう」という心を叶えることを目的とした交流によって考えを深める過程（思考を高めるために話し合う）です。これこそが読解の学びの醍醐味です。ここまでの過程で，子どもは自分自身のある程度の考え（読解）をもっています。4人程度の少人数では，特に司会を立てずに，考えの差異を見つけて交流させ，発表だけで終わらないようにします。

　学級全体の交流学びでは，発表することに意欲的な子どもの発話が中心になりがちですから，学習展開の状況に応じた教師の意図的な指名を取り入れる必要があります。まだ十分に考えられていない子どもや，自信をもっているとは言えない子ども，最後まで書けなかった子どもがいるでしょうが，そういう現状も教師は机間指導を通して把握しています。ですから，そのことを配慮して指名をすれば，どの子どもも活躍させることができますし，一部の子どもに恥をかかせることもありません。話し合いに積極的に入ってくることができない子どもは，机間指導中に得た観察の記録を活用して，話し合いに参加させることができます。教師は，発問や切り返しの問いかけなどを繰り返すことになりますが，すべては学習目標の達成に向かったものであり，決して誘導ではありません。子どもの発話を聞き，深い思考の過程をつくっていくのです。ときには，学習から外れたように見える話題になったり，冗長的な時間がうまれたりすることもありますが，子どもの「学ぼう」という心を叶えようとして子どもの発話に耳を傾ける教師の指導展開は，放任の話し合いや無計画の指名ではうまれない深い話し合いを実現させます。発問や切り返しの問いかけなどの教師の話すことや聞くことについては第8章の教師話法を参照してください。

(7)　学習をふり返るために読む—再び主体的関与へ

　最後のひとり学びは，学習をふり返る過程（学習をふり返るために読む）で，目的は学習の到達としての自身の学びとして整理することです。学習の最後には，交流の成果をもう一度自分自身に戻して考えを深めたり高めたり

したいものです。学級のみんなで学んだ成果が自分をどのように変えたのか，自分の学びはみんなの学びとどう関係したのか，次はどんなことを学習したいのか，ということを実感するために45分の学習の軌跡をふり返ります。

　例えば板書を読んでふり返るという方法があります。一問一答型で子どもに発話をうながし，その発話を教師がまとめてすぐに黒板に書くような方法でできあがった板書は望ましい板書とは言えません。板書とは，子どもの思考の過程や軌跡が残されたものです。取り出した情報の中から話し合いによって選び取られたものが書かれ，比較したり類別したりして情報を関係づけた過程が書かれているのです。ひとり学びでの読解が交流学びで変容していく経緯が書かれているはずです。そこには氏名は書かれていなくても誰の考えなのかはすぐに分かりますし，その一つの考えからどのような考えが発展してうまれたのかも一目瞭然です。学級全員でつくった板書ですから，それをみんなで音読することで45分が頭と胸にしみこんでくるのです。

　ここで示した読解の授業の過程は，芦田恵之助先生や大村はま先生の研究や実践から学んだことを基盤として，今日的に改めたり整理したりしたものです。どの学級でも通用するという画一的な方法ではありません。教師のスキルとしてのパターンでもありません。しかし，それぞれの学級の子どもの傾向に合わせ，適宜改善することで，どこの教室でも展開していくことができる有効な指導の手続きであると考えられます。

▶ 2　「読むこと」の授業のしかけ

2-1　基盤的な言語力を育てるしかけ

(1)　情報の取り出しだけで終わらない授業

　授業とは互いの考え方を尊重しながら，互いに新しいものの見方や考え方にふれ，知的な学びを創造するものです。ですから授業には「考える」ことがなければなりません。

　文中の語句を見つけることだけの一問一答型の授業や，語句を書き写すこ

とだけで終わるワークシート型の授業では「考える」ことが十分でないことがあります。見れば分かることを問う授業は多くの挙手による活発な授業に見えますが，考えて分かる授業としては十分ではありません。テキストの大体を理解したり，要約をしたりすることにも情報の取り出しは必要であり，そのことが中心になる学習もありますが，それだけでは言葉を熟考したり表現のかたちを比べたりする授業には展開しにくく，解釈をしたり評価をしたり，表現と重ねた思考をしたりする学習にはなりません。考えなければ分からない発問をし，子どもを深い思考の過程にいざないたいものです。それにはしかけが必要です。

(2) 写真と比べて読む授業（本文に戻って考えさせるしかけの一例）

　本文を詳しく読み比べなければならないしかけとして，写真や挿絵を活用する方法があります。『ビーバーの大工事（なかがわしろう・東京書籍・2年）』は，北アメリカの森の中の川の畔にすむビーバーが巣をつくる様子を順序よく説明した文章です。この教材の冒頭の7段落に合う写真として，ビーバーが木をかじっている写真と，ビーバーによっておされた木の写真があります。やや難しい語彙はありますが，この7つの段落の意味の大体は理解できます。「ビーバーは何をしていますか。」「木の幹をかじっています。」「どんな様子ですか。」「ガリガリかじっています。」「はやさはどうですか…。」という一問一答型の授業も考えられますが，思考を深めるために文と写真との適合を考えさせるのです。一文ずつ見ていくと写真と合う文もあれば，写真からでは分からない文もあることに気づきます。木をかじる音やそのスピード，「近よってみますと」で書きはじめられている詳しい説明は写真からは分かりません。このような学習（挿絵活用型）の設定が本文を詳しく読むことにつながります。

2-2　文脈的な言語力を育てるしかけ

(1) 深く考える過程にいざなう授業への展開

　ノートに書いて考えさせることも大切なことですが，学習によっては指導

の意図にもとづいた学習プリントを活用すること（学習プリント型）が有効な場合があります。学習プリントは学習目標を達成のために使うものですから，内容の整理だけを目的とするのではなく，国語力を育てるためのものでもなければなりません。教師によって整理された内容整理のための枠組みに，子どもはテキストの情報を写すだけになってしまうプリントがありますが，それでは子どもの関心は抜き出した語句が合っているか間違っているかだけに向くことになります。これでは深い思考にいざなう学習プリントではなく，単なる作業用紙になってしまいます。このような学習が必要な時期や，このような支援を要する学習者がいることも確かですが，情報の取り出しだけではなく，もっと考えさせる学習を設定したいものです。

　そのためには，プリントを，情報を取り出して写すことだけを目的にしたものではなく，学習プリントとして二次活用（二次教材化）できるものにしなければなりません。

(2) 文末を比べる授業（本文を詳しく読ませるしかけの一例）

　文末表現を比べることで，説明的文章の内容を深く考えることができる例があります。『ビーバーの大工事』の木が倒れる記述には「木が，ドシーンと地ひびきを立てて たおれます。」と「つぎつぎに たおされていきます。」とがあります。「たおれる」と「たおされる」の違いを考えることによって，動作主の表し方が違うことを考えることができます。それはそのまま挿絵としての写真が伝えたいものを考えることになります。『たんぽぽのちえ』（うえむらとしお・光村図書・2年）では，文末が「～ます」と「～のです・～からです」とで書き分けてあることに注目させます。様子の記述は「～ます」，わけの記述は「～のです・～からです」になっています。わけをたずねる「なぜ」「どうして」と，それをこたえる「～からです。」とに着眼して，わけとこたえを2文で書き分けたり，1文にまとめたりする学習（第3章2－2参照）も「分かるために書く」学習として設定できます。

2－3　主体的関与のしかけ

(1) 取り出した情報を使って考えさせる授業

　『いろいろなくちばし』（村田浩一・光村図書・1年）は，三種類の鳥のくちばしの形状とそれらの鳥がものを食べるときのくちばしの働きを説明している説明的文章です。よく見かけるワークシートとして，縦軸を「鳥の種類」，横軸を「くちばしの形」と「くちばしの働き」にして，分けて表にしてあるものがあります。同じ1年生の『どうぶつの赤ちゃん』（ますいみつこ・光村図書・1年）の授業でも同様のワークシートが使われることが多いです。縦軸が「ライオンの赤ちゃん」と「しまうまの赤ちゃん」，横軸が「うまれたばかりの赤ちゃんの様子」と「赤ちゃんが大きくなっていく様子」で，その枠に取り出した情報を書き込んでいくのです。このようなワークシートを使った「いろいろなくちばし」の授業では，一問一答型で情報を取り出すことが多くなります。「きつつきのくちばしはどんな形をしていますか。」，「細くてとがっています。」というように書いてあることを取り出すわけですから，この枠組みを仕上げることはそれほど難しいことではありません。

　このような学習にも価値はありますが，この単元で育成を図りたいのは，情報を取り出す力だけではなく，論理的に考える力です。一年生なりの学びとして，この一覧表を活用して思考する機会に浸らせたいものです。例えば，整理したプリントの枠を横に見て，二種類の鳥のくちばしの形を一文にまとめたり，三種類の鳥のくちばしの使い方をつなぎ言葉を使って二文で表したりするような学習を取り入れることで，情報の取り出しだけでは終わらない展開を期待することができます。

(2) 説明されている対象に同化して読む授業（主体化へのしかけの一例）

　先にも紹介しましたが青木幹勇先生が提唱された「第三の書く」にも紹介されている「変身作文」という方法を取り入れた授業があります。『ビーバーの大工事』であれば，ビーバーに変身してそのときの様子や苦労や工夫を書く（書き換える）というものです。小学生には取り組みやすく，主体的に

かかわっていく方法だと言えますが，ビーバーに変身したつもりで感想を吹き出しに書くだけでは深まった理解にはなりません。主語を「ビーバーは」から「私は」にかえることだけでなく，どの語や表現から考えたのかを子どもが自覚するとともに，文脈的理解をしなければ，単なるパロディーになってしまったり，価値のない場の盛り上がりだけで終わってしまったりします。また，この書き換え法で配慮しなければならないことの一つに，どの部分を書き換えるかということがあります。読者である子どもは，教材文の全部を知っていますから，教材文の最後の部分の内容を入れて書き換えることができます。教師ばかりが，場面を限定してしまい，子どもの思考を迷わせることになります。書き換えることが目的ではなく，書き換えるという方法を通して読解するということに留意したいものです。　　　　　　（達富　洋二）

▶ 研究課題

1　読解の授業（45分）の時間配分を考えてみましょう。
・読みの交流を目的とした話し合いはどのあたりに設定しますか。
・それは何分間くらいですか。
・読みを深めるために書く活動はどのあたりに設定しますか。
2　ひとり学びと交流学びをどのように関連づけますか。
3　学習のまとめはどのような方法で行いますか。

第7章 表現の授業論

◀◀ この章のポイント ▶▶

話すことでも書くことでも，子どもが表現することの楽しさに浸り，自らの表現に感動できるようにすることが大切です。書き言葉と話し言葉の特性としくみを知るとともに，それを学ぶしかけをつくらなければなりません。

▶ 1 「書くこと」の授業のしくみ

書くことの過程は，以下の5つです。

> (1) 発想―「書く内容」について考える過程（主体的関与）
> (2) 構成―「書く方法」について考える過程（文脈的言語力）
> (3) 記述―「書く内容」と「書く方法」をつなぐ過程（文脈的言語力）
> (4) 推敲―「書いたもの」を見直す過程（文脈的言語力と主体的関与）
> (5) 交流―「書いたこと」を実感する過程（再び主体的関与へ）

授業もこの過程に従って進めることになりますが，この5つの過程は，1時間単位で進められるとは限りません。発想の過程は教師が考えている以上に時間が必要です。記述に多くの時間をとりますが，子どもの傾向を見ると連続した時間設定が必ずしも有効でないことも分かります。相互交流を取り入れた批評には時間がかかります。このようなことを考えると，作文指導は必ずしも45分単位で構成するのではなく，15分単位の時間設定なども取り入れることが有効だと考えられます。この節では，単位時間（45分）の授業の組み立てではなく，それぞれの過程における授業の組み立てを考えます。

2 「書くこと」の授業のしかけ

2−1 発想―主体的関与のしかけ

　発想する授業では，書く内容としてふさわしい情報を集めることと発想を形にすることが主な活動ですから，できそうだと思わせるようなしかけが必要です。この活動が達成できなければ，内容がないわけですから文章にはなりません。また，情報が価値あるものでなければ書くことはできません。

　まず，情報を集めることですが，発想とは個人のオリジナリティにかかわるものですから，ありきたりの指示では通用しません。「感動したことを書いてごらん。」「よく思い出しなさい。」「例えば〇〇でしょ。」のようなものではなく，一人一人のオリジナリティと関連づけられる具体的な発想の方法をてびきとして示すことが必要です。

　生活文において発想することは思い出すことでもありますから，指導としては，(たくさん・詳しく)思い出すことができるようにすることです。「したこと作文」などは，まさに記憶の再現です。自宅に咲いた花を小学校に持ってきたときのことを作文に書こうとしている子どもを想定して考えてみましょう。書くことの内容として，どんな花を持ってきたのか，その花は自宅でどのように咲いていたのか，なぜ小学校に持ってくることになったのか，登校中はどうだったのか，教室に入ったときはどうだったのか，その花についてほかの友達はどんな反応だったのか，教室に置いておいたのかバケツに入れたのか花瓶に入れたのか，担任の先生は何とおっしゃったのか，というようなことがらが考えられるでしょう。そのようなことについて思い出すことができるような方法を設定するのです。

　代表的な方法として，教師が子どもにさまざまな問いかけをして，それについて思い出させ，メモするという「問いかけメモ法」があります。この方法は個別指導ですから，確実に一人一人の思考に寄り添うことができますが，時間がかかります。個別指導の有効性を保ちながら短時間に一斉に行える方

法として，プリントに発想の観点と発想の手がかりを示しておく**「学習プリント法」**がありますが，この方法であっても，個々への指導は必要です。

　発想の観点とは，「できごとの時間的な順序」「５Ｗ１Ｈ」「五感」「原因と結果」のような思い出すための観点のことです。これらを組み合わせるともっと詳しく発想させることができます。先の例で言えば，「教室の中の花についてほかの友達はどんな反応だったのか」ということは「できごとの時間的な順序」を観点にした発想ですが，これと「五感」を観点にした発想とを組み合わせることで，花の色，におい，様子，友達の声や会話，表情などの情報を集めることができます。長い時間幅での記憶を並べるだけではなく，選択したある短い時間のできごとを詳しく見るということになります。

　説明文の場合，発想することは取材することでもあります。例えば，ヤドカリの観察文を書く活動で，教師が「ヤドカリをよく見て書きなさい」と言ったところで子どもはどうしていいか分からないでしょう。既によく見えているからです。教師にとってもただ「見えてること」を求めているわけではなく，発想するために「見る」ことを充実させたいわけですから，書く内容を集めるために見るということはどうすることなのかを具体的に示すべきです。「この生き物がどうしてヤドカリって分かったのですか。」「見たら分かります。」「どこを見て分かったのですか。」「貝がらがあって，中にカニみたいなものが入っているからです。」「カニみたいなものってどんなものですか。」「はさみがあって，足があって……。」「どんなはさみですか。……。」このように，見るということは見えているものを意識して他のものと違っているところや同じところを見つけることだということを対話しながらすすめるのです。そういう教師のてびきによって，子どもはヤドカリのはさみの色や模様，形，表面の様子（手ざわり），動きなどにかかわる発見（情報の取り出し）をすることができます。それらを板書することで，「はさみの情報」がまとめられます。

　次に，その情報をカテゴリー別（色・模様，形，表面の様子・手ざわり，

動きなどの概念上のグループ）に整理します。「じゃあ，次は貝殻を見てごらん。」というように目を向けさせると，今度は，無計画に見つけるのではなく，概念上のカテゴリーに当てはめながら，「貝殻の色は少し濃い緑色で白いしまの模様が……。」「貝殻の形は先がとがっていて……。」「貝殻の手ざわりは……。」というように情報を取り出すことになります。発見が一つのカテゴリーに偏ってくると，他のカテゴリーで情報を見つけようとするものです。「見ること」の手がかり（カテゴリー）を示すことは，発想の支援になります。

　次に，それらの発想を形にすることですが，集めた情報をある秩序で並べたりまとめたりするには，学習プリントを使って整理を支援したり，「書く内容」を関連づけてひとまとまりにしていくことが大事です。例えば先ほどのヤドカリの観察の例ですと，ヤドカリを見たり，てのひらに乗せたりして十分にふれあったあと，一つの情報を一枚の紙（画用紙を細長く切り，上下に小さな枠をつくった短冊）に書いていきます。情報を書いた短冊がある程度集まったあと，上の枠に「足」「はさみ」「貝殻」などというようなカテゴリー（部位），下の枠には「色」「形」「手ざわり」などのカテゴリー（見た目）を記入します。このように整理しておくことで，構成のときに「はさみの段落」でそのカードを使うか，「色の段落」に使うかを考えることに役立ちます。ここでは教具として短冊の例を紹介しましたが，これを付箋紙（書き込む量が限られます）にすると貼ったりはがしたりしながら活動を進めることができますし，白紙やノートにつないで書いていくこともできます（途中に付け加えたり，書き直したりするにはやや不便です）。いずれにしても，情報を取り出し，集め，並べたり選んだりすることが重要です。思考の整理は一回きりで終えるのではなく，何度もやり直せるようにすることも大切です。書き言葉で行うわけですから，じっくりと時間をかけて行えるようにしたいものです。

2-2 構成―文脈的言語力のしかけ

　構成について考える授業とは,「書く内容」をどのように書くかの骨組みを考える授業のことですから,子どもが見通しをもって取り組めるようなしかけが必要です。「書く内容」が決まれば,すぐに作文用紙に書こうとすることがありますが,それでは思いついたままの羅列になってしまいます。

　生活文を書く場合,構成の授業は,思い出した(取り出した)情報を並べたりカテゴリー化したり選んだりすることからはじまります。思い出したことを羅列するだけでは,時間的な順序が逆になることもあります。順番通りに思い出すことができたとしても,長い時間の経過を並べるだけで,何を書きたいのかが分からない作文になります。情報は多ければ多いほどいいというものでもありません。書こうとすることがらを言葉の力で適切に表現するために必要な情報を選び取ることが必要です。選ぶとは捨てることでもあります。場面の切り取りをしなければならないのです。

　例えば,掃除時間にほうきを使って遊んでいたらほうきの棒に指が入ってしまい抜けなくなってあせったことを書いた作文があります。「そうじというものは,ひまなものだ。少しやったらあきてくる。こういうとき,たいていはほうきで遊ぶ。ぼくに起こった大変なことも,遊んだことからはじまった。」という書き出しで書いてあるこの作文は,書きたいことを「掃除時間に遊んでいて大変なことが起こったこと」に絞って書いています。書く前の発想(記憶の整理)の段階では,「給食時間のあとの休み時間のあとに掃除があるのでやる気がしないこと」や,「ほうきを使う順番の説明」「ほうきの使い方」「他の掃除道具の説明」「友達の様子」などをメモしていましたが,大事件が起こった場面を切り取って書くことにしたことで,書く情報を精査し,多くのものは捨てることになりました。

　説明文の場合は,内容を明確に表すために段落や段落相互の関係について考えることが必要です。例えば,短冊を用いて書く内容を整理することなどは段落を意識することの有効な指導法です。書きたい短冊をいくつかのまと

まりにして，それを一つの段落として構成するようにします。小学校の授業においては，段落のまとまりを「はじめ・なか（中心）・おわり」という形で考えることが多いです。

2-3　記述―文脈的言語力のしかけと基盤的言語力

　記述することとは「書く内容」と「書く方法」をつなぐことで，個人の行為ですから，書けるか書けないかの個の差に応じて個別へのしかけが必要です。特に低学年では，それまでは話し言葉で巧みに話していた子どもが，何も書けないということもあります。そのような場合は口頭作文（話し言葉作文）からはじめるのがいいでしょう。いきなり文字で書かせるよりも，話し言葉でたっぷり表現させて，教師がかわりに書けばいいのです。徐々に三文作文，短作文に移行してしていきます。虫食い作文や，書き出しだけ考える作文，つなぎ言葉だけを書き込む作文，会話を生活語（方言）で書く作文なども話し言葉の書き言葉化につながります。

　日常の話し言葉のやりとりが「聞き手依存」であるように，書くときにも「読み手依存」になることがあります。子どもには「伝えたい」という意識はあるのでしょうが，「伝わるように」という意識が十分ではないため，「きっと伝わっているはずだ。」「先生は，読んで分かってくださる。」という意識が知らず知らずに働いているのかもしれません。教師は少しくらいは意地悪な読み手になって，あえて理解不足を演じてみてもいいのかもしれません。そうすることで，豊かな表現で書こうとする意識が子どもにできていくからです。もちろん，その意識の上に，的確な文記述の指導が展開されることは言うまでもありません。

　話し言葉で話したり聞いたりして分かってしまっていることを文に書くには（文で書くには），文法にかかわったことについても意識して指導することが必要です。例えば，このような作文学習の事例（2年生）があります。口頭作文として，子どもは「お弁当をおいておきました。」「そして，みんなで遊びました。」「そしたら，公園のシカが食べました。」「そして，友達から

もらいました。」と語りました。次に作文では,「お弁当をおいておいた。そして,みんなで遊んだ。そして,公園のシカが食べました。そして,友達からもらいました。」と書きました。最終的には「お弁当をおいて遊んでいると,シカに食べられてしまったので,友達にお弁当をもらいました。」と書いたのですが,それまでにはいくつかの手続きがありました。子どもにとって「お弁当をおいて遊んでいると,シカに食べられてしまったので,友達にお弁当をもらいました。」という文を読解することは難しいことではありませんが,自分が情報を組み立てて文記述することは簡単なことではありません。「シカが食べる」→「シカに食べられる」という言い換えは,指摘されればできますが,自らはなかなかできないものの一つです。「遊んだ」→「遊んでいる(と)」という状態の表現を使うことで,事態の進行や,結果の状態を表現することができるということを取り上げることも同様です。

　詳しく説明するために必要な語彙は知っていても使えていないことが多いので,そのための特別な指導が必要です。ある小学校では,2年生の『スイミー』(レオ=レオニ・光村図書・2年)の読解学習で比喩表現の魅力を感じたあと,書くことの学習でも比喩やオノマトペを取り立てて指導することで表現が豊かになったと聞きます。その方法は,梅雨時には「雨の言葉集め」に,夏には「風の言葉集め」に学級で取り組み,模造紙に書いた百以上の言葉を教室に貼っておくというものですが,常に目にふれるところにオノマトペがたくさん示してあることで,授業中や朝の会で使えるようになったとのことです(坂田恵美先生・兵庫県)。書くことの向上は書くことを通して具体的に体験させることが必要なのです。

2-4　推敲—主体的点検としての文脈的言語力のしかけ

　推敲することとは「書いたもの」をさらによい表現にするために自分の力で見直すことですから,評価力を働かせるような特別なしかけが必要です。作文を書き終えた子どもにとって,もう一度「発想」の段階に戻って点検することや,「構成」を見直すことは骨の折れることです。よいと思って書い

たわけですから，何がよくないのかということやどのように見直せばいいのかということを具体的に示さなければなりません。

　推敲の指導では，自身の作文を読み直さなければなならない状況をつくり，もっと分かりやすい文章にしたいと思うようにします。じっくりと読み直す方法もありますが，自分の作文のあらすじを考えたり，自分の作文の推薦文や作文を使った試験問題をつくったりする方法もあります。読み合いも大切です。ゲーム性をもたせることで配慮しなければならないこともありますが，推敲の過程を楽しむしかけになるという点では効果的です。また，推敲を学習過程の後段にもってくるだけはなく，記述の途中に設定することも有効です。その方法も教師が行う評価（点検）だけではなく，子どもの自己評価はもちろん，学習者間での相互行為としての高め合いも有効です。「推敲の途中文集」は推敲の仕方を共通理解できる方法です。

2－5　交流―再び主体的関与へのしかけ

　交流は批評と一体化したものであり，「書いたこと」を実感し，更に「書くこと」に意欲的に取り組むようにさせることですから，自尊感情を高めるためのしかけが必要です。「作文を書きます。」という教師の言葉には「何，書くの。」「書くことない。」という子どもの声が続くことが少なくありません。子どもにとって学校行事や家族のことは，そのままでは書きたいことではないのかもしれません。「学校でシャープペンシルを使うことのよさ」「ゲームの攻略方法」「お母さんを泣かせる作文」という内容も考えられます。教師は生活文を書く指導において，子どもに感動したことを書かせようとし過ぎているのではないでしょうか。

　作文が大好きな学級がありますが，その学級には特別なしかけがあるものです。たずねてみると，教師が，毎日，一枚文集を発行していたり，定期的に学級文集を発行していたりして，学級の生活の中に「書くこと」がしみこんでいるようです。学校行事や日曜日のことなどの感動を書いているのではなく，「書くこと」を楽しみ，「書けるようになったこと」に感動しているか

らこそ，そのことが次の書く意欲になっているのです。そのためにも，「書けるようになったこと（身についた書く力）」を子どもが実感できるような評価と「次につけなければならない書く力」を明確にする助言が必要です。授業中の机間指導で，頻繁に「すごいなあ。」「調子いいね。」「そうそう。」と言う（それしか言わない）教師がいますが，このような評価や助言は子どもには伝わりにくいものです。もしかすると，子どもから「何がすごいんだろう。」「調子いいって，まだ半分も書けていないんだけど。」という言葉が返ってくるかもしれません。評価（批評）は，発想，構成，記述，推敲を大きな観点とし，学習指導要領の各学年に示されているような内容を細項目とした具体的な言葉で行いたいものです。また，「書くこと」に感動する学習者による相互評価というものはさらに魅力的です。他の表現を認め，他の表現を自身の表現に生かすことで，「書くこと」を共有する学級になります。

▶ 3 「話すこと・聞くこと」の授業のしくみ

　教室の談話にはいくつかの形態があり，それぞれの形態によって用いる話し言葉の適切さは違いますが，話し手にも聞き手にもその特性に応じた指導が必要です。具体的には，話す表現のかたちを理解すること（発想／主体的関与・構成／文脈的言語力）を目標とする指導，話し手として実際に音声化すること（発話・評価／基盤的言語力・文脈的言語力）を目標とする指導，聞き手として話し手の話している内容を聞き分けること（発想・評価／文脈的言語力と主体的関与）を目標とする指導，話し言葉を共有する学びの集団の育成（批評／主体的関与）を目標とする指導です。

▶ 4 「話すこと・聞くこと」の授業のしかけ

4-1　話し手を育てるしかけ

　教室での話し言葉には，あらたまった話し言葉とくつろいだ話し言葉があり，子どもはその二つの話し言葉を無意識のうちにつかい分けていますが，

意識してつかい分けることができるようにもならなければなりません。例えば，くつろいだ話し言葉は親しみを感じるけれども論理的な内容を話すときには適さないというようにそれぞれには特徴があります。ですから，話し言葉のかたちを理解することを目標とする指導が必要になります。

4－2　聞き手を育てるしかけ

　聞き手と話し手は常に交替しながら話し合いを進めていくわけですから，聞くことの指導は話すことの指導と一体化させて行うことが必要です。聞き手は受け身ではなく，話し手の内容を正確に理解しようとするために積極的にならなければなりません。

　聞く姿勢や聞くことの内容は学習指導要領に示されていますが，その基盤となる聞き方の指導もしなければなりません。「よく聞きなさい。」だけでは子どもに伝わりません。子どもにとっては既に「聞こえている」わけですから，それ以上はどうすることもできないのです。聞くとはどうすることなのか具体的に示すことが必要です。「前の人の話したことと同じことを見つけよう。」「違いを見つけよう。」というように比較して聞くことや，「これからAさんとBさんとCさんに話してもらいますが，まとめて言うとどうなりますか。」「三人の人の意見を二つに分ける（二人と一人）とするとどうなりますか。」というように類別して聞くことなどが考えられます。

　また，聞くことの評価を充実させるためにも，教師からの評価だけではなく，子ども相互が評価を行う機会や，録音機器などを活用して自らの声を聞く自己評価も取り入れたいものです。授業後のふり返りだけではなく活動中のリアルタイムの評価も必要です。

4－3　教室談話を共有する学びの集団へのしかけ

　学級経営とも関係しますが，話し言葉でのやりとりを創造的なものにするためには，話し言葉（声）を共有できる学びの集団をつくらなければなりません。そのためには，話し手と聞き手が互いに相手の立場と相手の声を尊重することが大事です。否定的ではなく，批判的な思考力を働かせながら，協

働的な過程を共有していくようにしたいものです。

　学びの集団を創造するためには，協調的に話すことの価値や能動的に聞くことの価値を確かめることからはじめます。そして，話し合うことに主体的にかかわる機会を多く設定するとともに，その機会が生産的であることを集団として実感できるようにすることが大切です。学習の導入時に，話し合うということは創造的なことであるということを学級として確かめ，随時，創造的な軌跡ができているかどうかを全体でふり返り，それを続ける年間計画をもつことが必要です。
　　　　　　　　　　　　　　　　　　　　　　　　　　　（達富　洋二）

▶ 研究課題

1　話すことの授業での相互評価にはどのような方法があるのでしょう。（例「いいところ見つけ」「聞いたよメモの交換」など）
2　「書けるようになったこと」を実感させるためには，作文にはどのようなコメントを添えるといいでしょう。

コラム　日本十進分類法

　図書館や図書室の利用指導をするために，日本十進分類法（NDC）について知っておくと便利なことがあります。次はその頭の数字です。

0類	総記	5類	技術・工学・工業
1類	哲学	6類	産業
2類	歴史	7類	芸術
3類	社会科学	8類	言語
4類	自然科学	9類	文学

　　　　　　　　　　　　　　　　　　　　　　　　　　　（森山　卓郎）

コラム　異文化コミュニケーションと身振り

　違う文化の人とコミュニケーションをすることを，異文化コミュニケーションと言います。国際化時代，これはとても大切なことです。

　異文化コミュニケーションでノンバーバルコミュニケーションが話題になることがあります。その例の一つが右と左の考え方です。

　インドネシアに行っていたとき，「ここに書いてあります」のように指で指すとき，グーの手で親指をくっつけたまままっすぐ伸ばし，その親指でもって指し示すのが印象的でした。面白いことに，使うのは右手でした。インドネシアでは「左」は「汚い方の手」です。相手に物を渡すときも右手がよいとされています。日本ではほとんどそういったことがないのですが，お互いに知らないと違和感を感じることがあるかもしれません。異文化が出会う時，違いについて考える力と，お互いの「寛容」が大切だと言えます。

（森山　卓郎）

コラム　方言と共通語

　方言とは地理による言葉の違いです。遠いところなのに同じ言い方があり，しかもそれが中央では古く使われていた言葉であることから，中央から周りに言葉が広がるという考え方（方言周圏論）があります。例えば，南東北と中国地方では塩味が薄いという意味で「アマイ」を使うことがありますが近畿ではその言い方は古く，「甘塩」などの言葉にしか残っていません。方言の分布は歴史的変化を反映していることもあるのです。

　このように方言は文化的伝統と言えるものです。方言も尊重しつつ，共通で通じるような言葉（「標準語」でなく「共通語」）も学ぶというのが今の考え方です。

（森山　卓郎）

第8章 授業展開と教師話法

◀◀ この章のポイント ▶▶

質の高い授業を展開していくためには教師の高い指導力が必要です。とりわけ，教師話法である教師の話す力と聞く力は授業展開に大きく影響します。教室談話の事実から教師話法の詳細について考えてみましょう。

1 教師の話すこと

1-1 教師の話す力

　授業における話し合いを充実したものにしていくには，子どもの発話を引き出したり，その発話に対して切り返したりする教師の話す行為や，談話を連続させるために子どもの発話を聞く行為が必要です。教師は子どもの「話す力や聞く力」の指導を行うとともに，自身の「話す力と聞く力」の向上を目指すことが必要です。授業における教師の話すことの代表は，「問いかける（発問する）こと」です。教師の見事な発問で授業が深まり，子どもの深い思考をうむこともあればその反対もあります。発問をキャッチボールの第1球にたとえると，その第1球次第で第2球以降の続き方が変わります。相手の胸元にしっかりと届く受けやすい球を投げることができれば，キャッチボールは連続するでしょう。児童から返ってきた第2球を受けて第3球を切り返すことになります。しかし，授業における第1球（発問）はそれほど多くはありません。発問を補ったり発問から発展させたりするため（第3球以降）にも，発問ではない言葉を教師は話し続けています。

　教師は子どもからの発話を聞き分け，学習目標の達成に向けて談話を連続させるために発話をしますが，その発話にはそれぞれに目的があります。実

際の45分の授業における教師の発話をすべて文字化して詳細に見てみると,発問以外にも「雰囲気をつくること」「つなぐこと」「確かめること」「評価すること」「てびきすること」を目的とした教師の発話があることが分かります。

　問いかける（発問する）こと以外の発話の目的の一つは「雰囲気をつくること」です。教師は，丁寧語で話す「公的発話」と丁寧語で話さない「私的注釈」とのスタイルを使い分けて発話し，学びの場を緊張させたりくつろがせたりして雰囲気をつくっています。（第6章2－4参照）

　教師は一つの発話を学級内で共有するために，発話者と全員と「つなぐこと」を目的として発話しています。それぞれの子どもの発話は基本的に教師に向けられます（教師への宛名性）から，他の子どもへは届かないことがあります。子どもにも聞こえてはいるのですが，その発話と自分の考えが関係したものなのかどうかが瞬時に判断できないことが多いので，談話を深めていくには教師のこの発話が必要です。

　子どもの発話には途中で終わってしまうものや感覚的で曖昧なもの聞き手依存の発話が少なくないため，教師は「確かめること」を目的に発話することがあります。話している本人は理解しているのですが，その発話の内容は教室の中で共有されているとは限らないのです。

　子どもの発話の多くは何らかの問題（教師からの問いかけや友達の発話に対する疑問など）にかかわったものですから，それについての教師の「評価すること」を目的とした発話はその後の談話に影響します。子どもは友達の発話にかかわる教師からの評価には関心があり，それによってその後の発話を再構成していくことになります。

　教師は一人一人の子どもが学び浸れるように「てびきすること」を目的にしながら発話しなければなりません。子どもは主発問だけで考えられるわけではなく，補助発問と呼ばれる教師からの発話を手がかりにして考えを深めますから，教師の第3球以降の発話は談話を深めていくための有効なてびき

になります。多くは説明不足を補うものや，考える手がかりの提示ですから，学習のてびきとなる言葉添えとしての発話です。

1−2　話すことによる「てびき」

　実際の教室では，この中でも「てびき」する発話がもっとも多く見られます。この「てびき」する教師の発話はさらに以下のような機能をもっていると考えられます。

　本時の目標を達成させるとともに，子どもが主体的に学習に取り組んでいけるようにするためにも，授業の導入時の教師のひと言は重要です。「**学びのきっかけをつくること**」から教師の発話ははじまります。

　学習のめあてや計画を明確にするとともに，「**考え方を理解させること**」も重要です。特に基盤的言語力や文脈的言語力の育成には具体的なことがらを示して考える方法を教えることが必要です。

　また，話し方（こたえ方）が分からないために発話を断念する子どもには，「**適切な発話の型を導くこと**」が必要です。こればかりでは発話は連続しませんが，適切なときにこのてびきを行うことで，子どもの不完全な発話を公的発話にするとともに，談話を中断させることなく深めていくことができます。

　子どもは自分だけが分かっている内容を，自分だけが分かる表現で発話することがありますが，そのようなときは，「**発話内容を具体化させること**」が必要です。教師には理解できても他の子どもには理解できないこともありますから，学級のみんなに分かるような具体例をつけ加えさせることもあります。

　同じように，子どもの発話が完全であっても，教師が十分に理解できないときには「**言い換えさせること**」を求めることがあります。教科書の情報やそれまでの談話の文脈と重ねて言い換えさせることで，教師は子どもの真意を確かめることができるでしょう。

　教師は，自己評価であれ相互評価であれ，「**評価すること**」につながる発

話を多くもっていることが必要です。教師が評価することはもちろん大事ですが，子どもに「評価」させることも大切です。しかし「できましたか。」や「分かりましたか。」とたずねることだけが評価ではありません。教師は多くの評価表現をもっていたいものです。以上の分析は，紺社えり先生（京都市）と渡部さや香先生（兵庫県）の授業及び研究を参考にさせていただきました。

▶ 2 教師の聞くこと

　質の高い授業を創造するためには，**談話編集**（教室談話の事実を知り，声を発し，発話を聞くこと）の基盤となる教師の聞く力の向上が不可欠です。教師が自身の聞くことに無自覚であるために，授業の質を高める絶好の機会を逃してしまうことは少なくないでしょう。教師の聞くことにまつわる反省は日常的に存在します。一年間にわたって授業の記録をとり，教師の聞く行為に着眼してみたところ以下のような傾向があることが分かりました。

　教師は自身のもつ「期待」と子どもの発話の内容とを比べながら聞いているようです。教師の期待と子どもの発話とにずれがある場合は発問を繰り返しますし，期待通りの発話の場合は，次の学習に展開することができます。

　違いを聞き分けているということでは，複数の発話に見られる違いも聞き分けています。複数の子どもの発話に見られる違いを学級で共有することで，学習活動を深めたり広げたりしようとしています。

　子どもは必ずしも考えていることと発話していることとが同じというわけではありません。その違いを聞き分けることは予想でしかありませんが，学級担任なら分かりそうです。

　同じように，子どもが教師の発問の真意を聞き間違っていることもあるでしょう。発問の主旨をとらえていなければ考えることは無理です。子どもの発話からそういう状態であるかどうかを推察することも大切です。

　子どもの発話が連続し，談話が盛り上がることは好ましいことですが，発

話されたものが，それまでの文脈にあっているかどうかを聞き分けることも必要です。教室ではいつの間にか話題がそれてしまっていることもあります。

教師の記憶と整理が必要ですが，発話を一過性の評価の対象とするのではなく，変容の軌跡として発話を聞き分けることが大切です。学習過程のはじめの発話とおわりの発話を比べることで，その子ども（学級）の学習目標への達成の姿を見ることができます。教師の聞くことに着眼することは，子どもの発話を詳細に理解することであり，授業の質を高めることになります。

▶ 3　よりよい教師話法に向けて

この章では**教師話法**について見てきましたが，実際の教室談話においては臨機応変な対応が必要です。基盤的言語力や文脈的言語力にかかわった発問では正解と不正解がある程度明確ですから，的確な対応が可能ですが，主体的に関与して考えた発話では，学習目標に準拠した教師の期待と外れた発話にどのように対処すればいいかについては迷うことがあります。

そのような談話において心がけたいことはあくまでも連続した対話型の授業を行うということです。授業では教材文としてのテクスト以外に，そのテクストを読解した一人一人の学習者のテクストが存在しています。教師の読解（テクスト）もその中の一つです。それぞれのテクストの差異を認め合い，重ね合わせて熟考することが授業です。そのためには，教師の話す力と聞く力が一体化した質の高い教師話法が必要です。授業評価はそのまま教師話法の評価と言ってもいいでしょう。なお，教師の聞く力の考察は梅林浩子先生（堺市）の研究を参考にさせていただきました。　　　　　　（達富　洋二）

▶ 研究課題

1　教師の話す力という点で自分自身の発問の癖を考えてみましょう。
2　子どもの発話を聞くとき，どんなところに注意をして聞いていますか。そのポイントを5つあげてみましょう。

コラム　古典

　今までの学習指導要領での「言語事項」が「伝統的言語文化と国語の特質に関する事項」になり古典が入ってきました。落語，狂言，和歌，物語などに，音読などで楽しく「触れる」ことが大切です。文法的な解説は不要ですが，意味もわからず暗唱するのではなく，わかりやすい内容解説もあることが理想です。鑑賞の要点にも触れたいところです。なお，「高き山（高い山）」「山高し（山が高い）」「山なり（山だ）」「飲みたり（飲んだ）」のように，よく出てくるような古文の簡単な語法にも慣れておくといいでしょう。

（森山　卓郎）

コラム　毛筆書写での漢字の字形指導―始筆の角度と左払い

　漢字の形は，基本的に上から下へ，左から右へ造っていくものです。長い時間使われるなかで，点画の組み立ての順序には一定の規則性が認められるようになりました。そして点画はある一定の範囲内に収まるように，求心的な引力をもつものとして構成されるようになりました。したがって，「筆順」や「概形（外形）」は文字をまとまりよく書く上でとても大切です。後から生まれた単なる約束事ではありません。筆順にしたがい，概形という見通しをもって書くことができる――これが字形学習の目標であるとさえ言えます。

　漢字の造形は，数の多い横画を少ない縦画で支えることを基本とします。書写の教科書では，毛筆の始筆の角度を四十五度，つまり穂先を時計の十時半の方向で入筆するように取り扱っていますが，伝統的な毛筆の書法で言えば，もう少し横方向，つまり十時の方向で筆を入れることが多いようです。その角度で自然に運筆すれば，数の多い横画は細めに，少ない縦画は太めに書くことができるからです。毛筆における線の太細は後から与える属性ではなく，始筆の方向によって与えられる点画の本来的な性格です。

　しかもその始筆の角度は，手指のかけ方（指法）によって決まるものではなく，実は腕のかまえ方（腕法）によって決まるものです。つまり，腕が楽

に動くようにわきの下を空ければ筆先はおのずから横方向を向き，わきの下を締めれば縦方向を向くのです。毛筆による学習で，児童が横画の多い文字を小さくまとめることができないときや「日」「目」などの閉じられた部分を書こうとして画間を等しく空けられないときなどは，ほとんどこの腕のかまえ方に問題があります。毛筆で学び始めるときの執筆法や姿勢についての指導がいかに大切であるかがわかります。

　加えて漢字の造形は，ななめ方向の画，つまり左払いや右払いなどがあることによって，その精妙さを増しています。この払いの方向いかんによって，文字の概形が大きく変化してしまうのです。私が注目しているのは，一般的に筆使いの難度が高いと考えられている右払いではなく，目立たないけれども実は数が多く，またその種類も多様な左払いです。

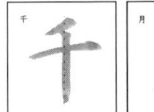

　左の四文字には，いずれにも左払いが含まれていますが，いかにも左払いらしい左払いと言えるのは「木」の第三画だけなのですね。文字の上方にある左払いは左横方向に払い出し，左側にある左払いは縦方向へ。中心にあって中心線を兼ねる左払いは縦画と左払いの複合画のつもりで書くようにします。つまり，左払いは文字や部分における位置によってその払い出す角度が変わることを指導します。これらを使い分けることができないと概形の見通しを立てることができません。たとえば，「成」の第一画は左側にあるから立てて書くべきで，これを左下四十五度に払っては文字の下半が広がりすぎてしまうのです。

　ここでお話したことは一例にすぎません。漢字の字形を整える上では多様な工夫が存在します。工夫を知識として理解し，さまざまな場面で役立てようとすることは，書字能力の大切な一部と言えるでしょう。　　　（住川　英明）

> **コラム**　**日本語を母語としない子どもにとっての「国語」**

　現在の学校教育現場では，日本語を母語としない子ども達がそれほど珍しい存在ではなくなってきています。こうした子ども達にとって，特に国語は苦手科目になることが多いのです。もちろん，国語に限らず他教科でも日本語で苦しむことはありますが，国語は特に難しいようです。

　文部科学省が日本語を母語としない子どものために開発した「ＪＳＬカリキュラム」の解説の中で，「国語科の特性」として「授業の展開が多様（典型的なパターンがない）」ということを挙げています。ＪＳＬカリキュラムは「教科指向型」として，各科目の典型的な学習のしかたを経験するように組まれていますが，国語にはそれが当てはまりにくいということがあり，このことが日本語を母語としない子どもにとっての難しさに通じているようです。ＪＳＬカリキュラムについては次のＨＰが参考になります。

小学校：http://www.mext.go.jp/a_menu/shotou/clarinet/003/001/008.htm
中学校：http://www.mext.go.jp/a_menu/shotou/clarinet/003/001/011.htm

（森　　篤嗣）

> **コラム**　**メディアリテラシー（media literacy）**

　メディアリテラシーという用語は，コンピュータや携帯電話などの情報機器の使い方から，テレビや雑誌，新聞，各種の広告等も含めたメディアとのつきあい方まで，広い意味で使われます。機器の操作，情報の受け取り方の吟味，コンテンツ（番組など）の作成，等様々な活動があります。

　いずれの場合も批判的（クリティカル）に情報を利用すること，メディア特性を活かした表現に注意すること（カメラアングル，色使い，テキスト情報との関連づけ等）が重要ですし，モラル面を含めた日常生活でのメディア活用の意識の向上（メールのマナー，ネットいじめやネットデマなどの不適切なニューメディア利用の防止など）も重要です。教育情報ナショナルセンターＨＰ（http://www.nicer.go.jp/）なども参考になるでしょう。　（森山　卓郎）

附録 ワーク編

プリントは，すこし拡大して，コピーして使っていただければと思います。
最初のTは低学年，Cは中学年，Kは高学年を，それぞれ表します。

【問題作成者および解答例】

T1 （森山）解答略
T2 （森山）(1)①イ ②エ ③ウ ④ア (2)ごくりと きらっと
T3 （森山）(1)かな 不明 （②か③） くみ② ゆかり③ (2)大きな
T4 （達富）(1), (2)解答略 (3)はりみたいなところ

C1 （森山）40円
C2 （森山）解答略 （①③⑤は上昇調）
C3 （森山）(1)①④⑤ (2)イ
C4 （達富）②④⑥⑧⑩

K1 （森山）(1)ア (2)雪がつもった様子 (3)ねこ
K2 （森山）解答略 （「がっちゃん」よりの視点）
K3 （森山）解答略 （集合時間，場所，もちもの等未記載）
K4 （達富）(1)解答略 (2)野や山に入って竹をとっては，色々な物を作るのに使っていた。 (3)オ (4)ウ (5)9センチメートル

T1 なにがかいてあるか，わかるかな？

もくひょう① ことばの　まとまりを　かんがえよう。
もくひょう② 「,」「。」や「」の　つかいかたに　なれよう。
もくひょう③ ちゅういぶかく　ひらがなを　よもう。

(1) このぶんには，「,」「。」がぬけています。どこに「,」「。」をつけたら いいのかを　かんがえて　この　ぶんを　よんでごらん。
　　また，だれかがはなしをしているところがあります。わかるかな。「　」 （かぎかっこ）をつけてみよう。

> どようびのよるおばさんとそのあかちゃんがあそびにきましたあかちゃんははがはえてきてやわらかいごはんをたべることができますみんなでたべているととつぜんあかちゃんがおならをしましたおかあさんはわらいながらあかちゃんはわからないからしたがないよねといいました。

(2) つぎの　さくぶんには　かきまちがいが　あります。なおしてください。

> なつのくだもので，私が　いちばんすきなのわ　すいかです。あまりすきなので，すいかお　たべていると，いつのまにか　あかいとろこだけでわなくて，しろいところまで　たべてしまうくらいです。けれともがこうのきゅうしよくでは，すいかが　でないので　ざんねんです。

T2 ようすを あらわす ことばの いみ

もくひょう① ことばの いみを かんがえてみよう。
もくひょう② ようすを あらわす ことばに きをつけよう。

(1) ようすを あらわす ことばに きを つけて, どんな あるきかたか, かんがえてみよう。

①さっさと あるく。・　　　・ア　小さい子どものあるきかた
②とぼとぼ あるく。・　　　・イ　はやい あるきかた
③ふらふら あるく。・　　　・ウ　たおれそうなな あるきかた
④よちよち あるく。・　　　　　　しっかりあるいていない
　　　　　　　　　　　　　・エ　きもちに げんきのない あるき
　　　　　　　　　　　　　　　　かた

あるきかたで, きもちが わかることも あるんだ！

(2) いみはどうちがう?

ごくりと のんだ　　　　　・ひとくちで のんだのは どっち?
ごくごく のんだ

きらっと ひかった　　　　・いちどだけ ひかったのは どっち?
きらきら ひかった

ヒント
・「つばをごくりとのんだ」というけれど, ふつう「ごくごく」のんだりしないよね。

T3 どんな さかな？

もくひょう❶ 文の意味を考えよう。
もくひょう❷ おなじことと，ちがうことに気をつけよう。

かなさん，くみさん，ゆかりさんが，ずかんで さかなをみています。
(1) それぞれ，どのさかなが すきでしょうか。あててごらん。
また，どのさかながすきか わからない 人は だれかな。

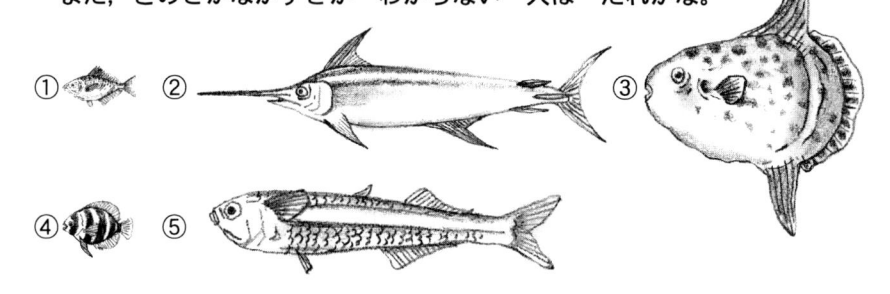

① ② ③
④ ⑤

かな：ほそながくて おおきなさかなが，とてもはやそうだから，私はすき。
くみ：私は その ほそながくて おおきなさかながすき。くちのうえが
　　　とがっていて とてもはやそうだからです。
ゆかり：私は，あのおおきな，さんかくのさかなが いちばんすきです。な
　　　がいひれがあって かわいいから。長いおひれもないよ。

(2) さんにんが すきなさかなには，おなじ せいしつが あります。どう
　　いうせいしつでしょう。
　　　　　さんにんとも，［　　　　　　　　　］さかながすきだね。

T4 くりからそうぞうしよう！

> **もくひょう①** くりについていろんなことをそうぞうしよう。
> **もくひょう②** どんなことをそうぞうしたかなかまわけしよう。

(1) くりってしっているよね。たべたことがありますか。どんなあじがしましたか。どんなにおいがしましたか。なにいろでしたか。

(2) くりについてどんなことを見つけられるかな。おもい出してそうぞうしてもいいよ。しゃしんを見てそうぞうしてもいいよ。

(3) ちくちくしているのはどこかな？「ちくちく」いがいのことばでもせつめいできるかな。

C1 たいせつなところは？

目標① 文章のいみを考えて，大切なこととそうでないことをわけよう。
目標② 同じ文章でも，何を考えるかによって，大切なことはちがうよ。

ちょっとかわった けいさんの もんだいです。いちどさいごまでよんでから，大切な ところに せんを ひいて もういちどよんでごらん。どこに せんを 引きますか？ このけいさんもんだいの こたえは？

> すずきさんは，100円だま1まいをさいふにいれて えんぴつを 買いに近くのお店へ行きました。雨がふっていたので，かさをさして行きました。お店の売り場には，1本30円のえんぴつと，1本40円のえんぴつがありました。けしゴムは50円でした。すずきさんは，さいしょ，1本30円の えんぴつを2本買おうと思いましたが，ふと見ると，よこに，2本で30円というえんぴつも売っていました。すずきさんは，そちらのほうがやすいと思ったので，それを4本買いました。すずきさんは，「いい買い物ができた」とおおよろこびでした。帰りに，おかしやさんで1個30円のあめを買おうと思いましたが，がまんして，そのまま家に帰りました。すずきさんのさいふには あといくらのこっていますか。

アドバイス

・もしも，すずきさんの きもちについて 考えるのなら，たいせつな文になるのはちがう文です。「言い買い物ができたとおおよろこびでした」「あめを買おうとおもいましたが，がまんしました」などがきもちを表していますね。

C2 どう読む？——音読について考えてみよう！

目標① いろいろな意味を持つ文について，考えてみよう。
目標② 文の意味に気をつけながら音読してみよう。

(1) 場面を考えながら，特に下線の部分の音の高さに気をつけて，どう読めばいいかを考えてみましょう。なぜそう読むのかの理由も考えましょう。
(2) この文章では最後の「うん」はどう読めばいいでしょうか。

　えみはきのうのけんかのことを思い出していた。まゆみにちょっと言い過ぎたかもしれない。えみは，まゆみにひとことあやまりたいと思った。しかし，教室にはまゆみは見あたらない。
　えみは，そばにいたまりこに聞いた。
「まゆみちゃんは，どこかしってる①」
まりこが言った。
「ほら，運動場じゃない②」
教室の窓から運動場の方を見ると，まゆみは運動場のいちょうの下で落ち葉を集めているのが見えた。
　えみはすぐにまゆみのところへかけよって行った。
「落ち葉をあつめているの③」
とえみが声をかけると，まゆみは，いっしゅんちょっとおどろいたような顔をした。しかし，すぐにいつものようにほほえんで言った。
「うん。一年生の先生が，いちょうの落ち葉をはって絵にするんだって。きれいなかたちのものを集めて，一年生たちにあげようと思ったの④」
と言った。「どう，いっしょに集めない⑤」
　えみは，「うん」と返事した。自分でもおどろくような元気な声だった。

C3 歌の言葉のよみとりをたのしもう！

目標❶ 国語辞典をひき言葉の意味を考えよう。
目標❷ 歌を知っていたら歌ってみよう。

次の歌の歌詞の意味を味わいながら歌おうと思います。

> こいのぼり
> いらかの　なみと　くものなみ
> かさなる　なみの　なかぞらを
> たちばな　かおる　あさかぜに
> たかく　およぐや　こいのぼり

(1) 「いらか」という言葉の意味がわからないので、国語辞典で調べることにしました。次の中、適切なものに○をしなさい。

① 「いるか」より前にある　　　　② 「いるか」より後にある
③ 「いくら」より前にある　　　　④ 「いくら」より後にある
⑤ 「いらつく」より前にある　　　⑥ 「いらつく」より後にある

(2) 国語辞典を見ると、「いらか」は「やねのかわらのこと」と書いてありました。作者はどこから見ているか、どう工夫しているかを考えた文のうち、どちらが適切でしょうか。

ア　上から見ている。飛行機から見ると日本の屋根のかわらはまるで波のように見える。その上で泳ぐ鯉のぼりの姿を見ている。

イ　下から見上げるようにして見ている。やねのかわらと雲のあいだで、鯉のぼりがまるで泳いでいるようだという表現になっている。

C4 メモを取ろう！

目標① メモを取るときの注意を考えよう。
目標② メモを見てかんたんな文章を書こう。

メモを取るときのことを考えます。

(1) 近所の薬局に行って話を聞きました。そのメモを取るとき，どんなことに注意しますか。

①おじさんがくわしく話をしてくださったら，聞こえたことをすべてきちんとノートに書く。
②おじさんの言いたいことのだいたいが分かればいいので，聞こえたとおりには書かない。
③おじさんが強く言いたいことは学校に帰ってからゆっくり考える。
④おじさんが強く言いたいことを見つけながらメモをする。
⑤習った漢字は全部漢字で書く。
⑥時間がかかりそうだったら漢字は使わない。
⑦よく分からない言葉はすぐに聞き返す。
⑧よく分からない言葉は聞こえたままを書いておきあとからたずねる。
⑨聞きまちがったり書きまちがったりしたら消しゴムで消す。
⑩聞きまちがったり書きまちがったりしても消しゴムは使わない。

(2) 朝の１分間スピーチを聞いてメモを取り，そのメモを使ってスピーチの内容をかんたんな文に書きなおしましょう。

K1 歌の言葉の読み取りをたのしもう！

目標❶ 声に出してみよう。どう読むかかんがえてみよう！
目標❷ 歌を知っていたら歌ってみよう。

雪

雪やこんこ　霰やこんこ　　＊　　雪やこんこ　霰やこんこ
降っては　降っては　　　　＊　　降っても　降っても
ずんずん積もる　　　　　　＊　　まだ降りやまぬ
山も野原も　綿帽子かぶり　＊　　犬は喜び　庭駈けまわり
枯れ木残らず　花が咲く　　＊　　猫はこたつで　丸くなる

---

(1)　「こんこ」とはどういう意味でしょう。
　　ア　雪などがどんどんふってくるようす。
　　イ　「こんこ」というなにかの音
　　ウ　雪などがとけていくようす。

(2)　「山も野原も　綿帽子かぶり」ということ
　　のはどういうことでしょう。

(3)　詩などでは,よく二つのことが並べられて表現されています。この詩にも
　　並べられたことがあります。「犬」に対して何が取り上げられていますか？

　　　　犬　　　＝よろこんで庭をかけまわる
　　　　[　　]＝こたつでまるくなる

K2 物語の読み取り

目標① 設定について考えよう。
目標② 場面の要約をしてみよう。

次の場面を要約してみましょう。詳しい要約，簡単な要約，というように様々な書き方を考えてみましょう。

> がっちゃんは声のした方を見下ろしました。「おおい，こっちだよう！けがをしてるんだよう。」つとむくんの泣きそうな声が聞こえました。谷底につとむくんらしい赤いセーターが見えます。声が途切れて，ひゅうひゅう，という谷をわたる風の音が聞こえました。がっちゃんは，谷底のつとむくんのほうをしばらく見ていましたが，ぷいと横を向くと，何事もなかったかのように，山を登り始めました。（自作）

(1) この場面での，「がっちゃん」「つとむくん」はどこにいますか。
(2) その理由は何ですか。
(3) この場面をまとめましょう。「〜という場面」と言い換えてごらん。ここには使われていない言葉を自分で使うようにしてみましょう。
(4) がっちゃんとつとむくんとどちらに語り手の視点がありますか。
(5) つとむくんの視点からこの場面を書くとするとどんなふうになるでしょうか。自分で想像していろいろと付け加えて，お話にしてごらん。
(6) 続きを書いてみよう。

K3 質問はありますか？

目標① 必要なのに足らない情報は何か考えよう。
目標② 読み取った内容について，自分なりに考えてごらん。

次の文章は，遠足係の太郎くんが書いた遠足のお知らせです。太郎くんは親しく語りかけるような書き方にしたいと思いました。海岸公園に何があるかも知らせてあげようと思いました。でも，「これじゃ，大切なことが抜けているよ」と先生がおっしゃいました。どういうことが抜けているでしょう。

遠足のお知らせ

みなさん，おまちかね！秋の遠足のお知らせです。11月5日，海岸公園に行きます。とても眺めの美しいところです。晴れるといいですね。雨が降っても行きますので傘をわすれないように。観光バスで連れて行ってもらえるそうですが，学校の中に観光バスが来るわけではないので注意して下さい。海岸公園には無料で見られる水族館もあるし，巨大砂場やどろんこ広場，そして，大型滑り台もあります。お弁当を食べるのにぴったりの「こびとのいえ」もあるよ。団体行動をとるので，集合時間におくれないようにして下さい。バスの座席は裏に書いておきます。

そこで，太郎君は，お知らせする内容を箇条書きにしてみました。続きを書いてごらん。何が足りないかも考えてみて下さい。

◆日：11月5日
◆行き先：海岸公園
◆海岸公園に何があるか：
◆行き方：

K4 伝統的言語文化

目標❶ 古文の響きを楽しむ。
目標❷ 現代の言葉と重ねて類推する。

ア）今は昔，竹取の翁といふものありけり。
イ）野山にまじりて竹を取りつつ，よろづのことに使ひけり。
ウ）名をば，さぬきのみやつことなむいひける。
エ）その竹の中に，もと光る竹なむ一筋ありける。
オ）あやしがりて，寄りて見るに，筒の中光りたり。
カ）それを見れば，三寸ばかりなる人，いとうつくしうてゐたり。

(1) よみがなをよく見てください。古文で書いてあることばには今の読み方とちがったものがあります。どこがちがいますか。
　　①いふ　　②使ひ　　③いひける　　⑥ゐたり
(2) 「よろづのことに」とは「いろいろなことに」という意味です。イ）の文はどんな意味だと思いますか。
(3) 竹の中の様子がわかるのはどの文でしょうか。
(4) 「竹取の翁（おじいさん）」の名前が書いてあるのはどの文でしょうか。
(5) 「1寸」は大体3センチメートル程度の大きさです。竹の中にいた人（かぐや姫）は何センチメートルくらいの大きさだったでしょうか。

参考文献

〈読むこと〉

- 『読書生活の指導』阪本一郎 1958，学芸図書
- 『読書指導』滑川道夫 1959，牧書店
- 『想像力と文学教育』太田正夫 1971，三省堂
- 『問題をもちながら読む』青木幹勇 1976，明治図書
- 『書きながら読む』青木幹勇 1976，明治図書
- 『考えながら読む』青木幹勇 1976，明治図書
- 『文芸教育論』西郷竹彦 1977，明治図書
- 『説明的文章の読み方指導』大西忠治 1981，明治図書
- 『説明的文章の授業研究論』渋谷孝 1981，明治図書
- 『行動する文学教育』，大河原忠蔵 1986くろしお出版
- 『授業が変わる「第三の書く」』青木幹勇 1987，国土社
- 『若い教師のための文章論入門』永野賢 1990，明治図書
- 『「第三の書く」の授業展開』青木幹勇 1993，国土社
- 『新しく拓く説明的文章の授業』長崎伸仁 1997，明治図書
- 『国語教育の改善に向かって』甲斐睦朗 1996，国立国語研究所
- 『文学教材の読み方と実際』甲斐睦朗 1996，明治図書
- 『「説明的文章教材」の徹底批判』阿部昇 1996，明治図書
- 『語彙力の発達とその育成』井上一郎 2001明治図書
- 『文章吟味力を鍛える』阿部昇 2003，明治図書
- 『表現を味わうための日本語文法』森山卓郎 2002，岩波書店
- 『要点・要約・要旨の基礎的学習で読解力を育てる』白石範孝 2006，学事出版
- 『音読・朗読入門』杉藤美代子・森山卓郎 2007，岩波書店
- 『「言葉」から考える読解力』森山卓郎 2007，明治図書

〈書くこと〉

- 『新しい綴方教室』国分一太郎 1952，新評論
- 『綴方十二ヶ月』芦田恵之助 1971，文化評論
- 『綴方の鑑賞と批評』江口季好 1972，百合出版
- 『みんなで作文を書こう』石森延男 1978，光村図書
- 『赤ペン《評語》の書き方』亀村五郎 1979，百合出版
- 『作文の見方』西郷竹彦 1981，明治図書
- 『子どもの文章』内田信子 1990，東京大学出版会
- 『文章作成の技術』樺島忠夫 1992，三省堂
- 『説明的表現の授業』桜本明美 1995，明治図書

〈話すこと〉

- 『話しことばの科学』斎藤美津子 1968，サイマル出版会
- 『「話し合い」をどう効果的に進めるか』東井義雄 1985，明治図書
- 『コミュニケーションの日本語』森山卓郎 2004，岩波ジュニア新書

〈授業展開〉

- 『国語教室の実際』大村はま 1970，共文社
- 『教えながら教えられながら』大村はま 1989，共文社
- 『育つことば育てることば』白石壽文 1996，東洋館出版社
- 『国語科の教科内容をデザインする』科学的「読み」の授業研究会 2004，学文社
- 『臨床国語教育を学ぶ人のために』難波博孝 2007，世界思想社

〈その他〉

- 『つづり方兄妹』野上丹治・洋子・房雄 1958，理論社
- 『私は小学生』蒲池美鶴 1978，青葉図書
- 『基礎・基本から活用力まで　新国語力ワーク』森山卓郎（編）（低・中・高）2009，明治図書
- 『国語からはじめる外国語活動』森山卓郎（編著）2009，慶應義塾大学出版会

ヘボン式ローマ字一覧表

	あ A	い I	う U	え E	お, おう, おお O
50音	か KA	き KI	く KU	け KE	こ, こう KO
	さ SA	し SHI	す SU	せ SE	そ, そう SO
	た TA	ち CHI	つ TSU	て TE	と, とう TO
	な NA	に NI	ぬ NU	ね NE	の, のう NO
	は HA	ひ HI	ふ FU	へ HE	ほ, ほう HO
	ま MA	み MI	む MU	め ME	も, もう MO
	や YA		ゆ YU		よ, よう YO
	ら RA	り RI	る RU	れ RE	ろ, ろう RO
	わ WA		を O		ん N(M)
濁音 半濁音	が GA	ぎ GI	ぐ GU	げ GE	ご, ごう GO
	ざ ZA	じ JI	ず ZU	ぜ ZE	ぞ, ぞう ZO
	だ DA	ぢ JI	づ ZU	で DE	ど, どう DO
	ば BA	び BI	ぶ BU	べ BE	ぼ, ぼう BO
	ぱ PA	ぴ PI	ぷ PU	ぺ PE	ぽ, ぽう PO
拗音	きゃ KYA		きゅ, きゅう KYU		きょ, きょう KYO
	しゃ SHA		しゅ, しゅう SHU		しょ, しょう SHO
	ちゃ CHA		ちゅ, ちゅう CHU		ちょ, ちょう CHO
	にゃ NYA		にゅ, にゅう NYU		にょ, にょう NYO
	ひゃ HYA		ひゅ, ひゅう HYU		ひょ, ひょう HYO
	みゃ MYA		みゅ, みゅう MYU		みょ, みょう MYO
	りゃ RYA		りゅ, りゅう RYU		りょ, りょう RYO
	ぎゃ GYA		ぎゅ, ぎゅう GYU		ぎょ, ぎょう GYO
	じゃ JA		じゅ, じゅう JU		じょ, じょう JO
	びゃ BYA		びゅ, びゅう BYU		びょ, びょう BYO
	ぴゃ PYA		ぴゅ, ぴゅう PYU		ぴょ, ぴょう PYO

【執筆者紹介】

森山　卓郎	早稲田大学文学学術院教授
達富　洋二	佐賀大学文化教育学部教授
藤岡　宏章	岩手県教育委員会指導主事
バトラー後藤裕子	ペンシルベニア大学教育学大学院准教授
奥野久美子	京都教育大学教育学部准教授
神﨑　友子	京都教育大学附属桃山中学校教諭
森山　潤	兵庫教育大学学校教育学部准教授
平井　倫子	大分県別府市立境川小学校教諭
住川　英明	鳥取大学地域学部教授
森　篤嗣	国立国語研究所研究員

【ワークイラスト】

清水　禮子	京都教育大学附属図書館

【編著者紹介】

森山　卓郎（もりやま　たくろう）
京都市生。早稲田大学文学学術院教授。学術博士。国語教科書編集委員（光村図書）。
〔著書〕
『ここからはじまる日本語文法』（ひつじ書房2000）、『表現を味わうための日本語文法』（岩波書店2002）、『コミュニケーション力をみがく』（NHKブックス2003）、『コミュニケーションの日本語』（岩波ジュニア新書2004）、『「言葉」から考える読解力』（明治図書2007）、『音読・朗読入門』（共著・岩波書店2007）『国語から始める外国語活動』（編著・慶應義塾大学出版会2009）など多数。

達富　洋二（たつとみ　ようじ）
京都市生。佐賀大学文化教育学部教授。博士（文学）。京都府「『ことばの力』育成プロジェクト」スーパーバイザー。
〔著書〕
『新教育課程における学習指導の実際』（分担執筆・東洋館出版社1999）、『国語科教育法』（佛教大学2004）、『基礎・基本から活用力まで　新国語力ワーク／高学年編』（分担執筆・明治図書2009）、『新たな時代を拓く小学校国語科教育研究』（分担執筆・学芸図書2009）

国語教育の新常識──これだけは教えたい国語力──

2010年3月初版刊	Ⓒ編著者	森　山　卓　郎
2013年11月12版刊		達　富　洋　二
	発行者	藤　原　久　雄
	発行所	明治図書出版株式会社
		http://www.meijitosho.co.jp
		（企画・校正）及川　誠
		〒114-0023　東京都北区滝野川7-46-1
		振替00160-5-151318　電話03(5907)6704
		ご注文窓口　電話03(5907)6668
＊検印省略	組版所	株式会社明昌堂

本書の無断コピーは、著作権・出版権にふれます。ご注意ください。

Printed in Japan　　ISBN978-4-18-301115-2